SCHOLAR Study Guide

CfE Advanced Higher Spanish Grammar Guide

Authored by:

Carolyn Stanford (Glenwood High School)

Reviewed by:

Maria Gil Rodriguez

Previously authored by:

Linda Swankie

Heriot-Watt University

Edinburgh EH14 4AS, United Kingdom.

Distributed by the SCHOLAR Forum.

SCHOLAR Study Guide: CfE Advanced Higher Spanish Grammar Guide

1. CfE Advanced Higher Spanish Grammar Guide Course Code: C769 77

ISBN 978-1-911057-18-5

Print Production and Fulfilment in UK by Print Trail www.printtrail.com

Acknowledgements

Thanks are due to the members of Heriot-Watt University's SCHOLAR team who planned and created these materials, and to the many colleagues who reviewed the content.

We would like to acknowledge the assistance of the education authorities, colleges, teachers and students who contributed to the SCHOLAR programme and who evaluated these materials.

Grateful acknowledgement is made for permission to use the following material in the SCHOLAR programme:

The Scottish Qualifications Authority for permission to use Past Papers assessments.

The Scottish Government for financial support.

The content of this Study Guide is aligned to the Scottish Qualifications Authority (SQA) curriculum.

Contents

1 Grammar: Society   **1**

  1.1   Los verbos in tiempo presente 2

  1.2   Imperfecto 2

  1.3   Los verbos que indican el cambio 4

  1.4   Adjetivos 4

  1.5   Frases de tiempo 5

  1.6   El deber 6

  1.7   El Imperativo 7

  1.8   Presente 8

  1.9   Infinitivos 8

  1.10   Sigue 9

  1.11   Negativos 11

  1.12   Impersonal "se" 12

  1.13   El futuro 13

  1.14   El subjuntivo 13

  1.15   El subjuntivo 2 24

  1.16   La voz pasiva 32

  1.17   Pretéritos irregulares 38

  1.18   Ser v Estar 39

  1.19   Adverbios 41

  1.20   Números ordinales 45

  1.21   Preposiciones 47

  1.22   Por y para 47

  1.23   Futuro perfecto 52

  1.24   Discurso indirecto 55

  1.25   Orden de las palabras y la inversión 55

  1.26   Orden de las palabras 57

2 Grammar: Learning   **59**

  2.1   El subjuntivo 60

  2.2   Sí utilizado para el énfasis 65

  2.3   Discurso directo e indirecto 67

  2.4   La voz pasiva 71

  2.5   Pedir v preguntar 73

  2.6   Llevar y Presente Participio 75

3 Grammar: Employability   **77**

  3.1   El subjuntivo 78

  3.2   Lo que sea 79

3.3   Lo que sea, quien sea, donde sea   81
3.4   Expresiones que terminan en -quiera   82
3.5   Para que y otras expresiones que requiere el subjuntivo   83
3.6   Subjuntivo o infinitivo después para   84
3.7   Aunque: Subjuntivo o indicativo?   86
3.8   Subjuntivo después de verbos de opinión usados en sentido negativo .   87

Answers to questions and activities   **89**
1   Grammar: Society   89
2   Grammar: Learning   123
3   Grammar: Employability   130

Topic 1

Grammar: Society

Contents

1.1	Los verbos in tiempo presente	2
1.2	Imperfecto	2
1.3	Los verbos que indican el cambio	4
1.4	Adjetivos	4
1.5	Frases de tiempo	5
1.6	El deber	6
1.7	El Imperativo	7
1.8	Presente	8
1.9	Infinitivos	8
1.10	Sigue	9
1.11	Negativos	11
1.12	Impersonal "se"	12
1.13	El futuro	13
1.14	El subjuntivo	13
1.15	El subjuntivo 2	24
1.16	La voz pasiva	32
1.17	Pretéritos irregulares	38
1.18	Ser v Estar	39
1.19	Adverbios	41
1.20	Números ordinales	45
1.21	Preposiciones	47
1.22	Por y para	47
1.23	Futuro perfecto	52
1.24	Discurso indirecto	55
1.25	Orden de las palabras y la inversión	55
1.26	Orden de las palabras	57

1.1 Los verbos in tiempo presente

Los verbos in tiempo presente

Find all the Present Tense verbs in the first two paragraphs.

Go online

Q1: El matrimonio está de capa caída en todo occidente. Las estadísticas que llegan de Europa, Estados Unidos y países latinoamericanos confirman que el índice de parejas que formalizan su relación es muy inferior al de las que optan por la convivencia.

Aunque actualmente el matrimonio ya no se ve como una atadura para toda la vida -especialmente significativo es que en algunos países europeos el porcentaje de bodas que acaban en divorcio asciende a un 60 %- son pocos los que se animan a jurar amor eterno a su pareja y certificarlo en un documento con valor legal.

....

Q2: Complete the table with the Infinitives and other Present Tense forms of the verbs you have found above.

Present	Infinitive	Yo	Nosotros

....

1.2 Imperfecto

Imperfecto 1

Find the three Imperfect Tense verbs in this paragraph and complete the table with the missing forms.

Go online

Q3: Según los especialistas, una de las causas del descenso del número de matrimonios es la independencia económica de la mujer. Basta una rápida mirada al tema para constatar que hasta hace unas décadas era impensable que una mujer pudiera prescindir del matrimonio para vivir. En un principio, las chicas dependían de la economía familiar -del sueldo paterno-, para pasar a depender del marido cuando se casaban. Hoy el porcentaje de mujeres que trabaja fuera de casa es alto. Esto hace que la mujer pueda disponer de una autonomía económica total y por consecuencia, el matrimonio ha dejado de ser la única vía de conseguir seguridad para una mujer.

....

Q4: Complete the table with the infinitives and the imperfect tense forms of the three verbs above.

Verb	Infinitive	Yo	Nosotros

....

Imperfecto 2

When talking about the role of women in the past, you will need to use the Imperfect Tense.

Go online

Find all the verbs in this text which appear in the Imperfect Tense.

Q5: Bajo el régimen de Franco, la mujer tuvo un papel muy tradicional. El hombre era el que mandaba en casa y en la sociedad. El deber de la mujer era quedarse en casa cuidando de los hijos y haciendo tareas "propias de su sexo". No había divorcio, no se vendían anticonceptivos y el aborto era ilegal. Aunque hoy nos parezca mentira, hace sólo tres décadas, las mujeres españolas no podían tener un trabajo ni abrir una cuenta bancaria sin el permiso de su marido. Hasta hace 30 años una mujer dependía legal y administrativamente de su padre o de su marido, y tan sólo quedarse viuda le permitía moverse con cierta independencia.

....

And provide the Infinitives they are derived from.

Q6: era

....

Q7: mandaba

....

Q8: había

....

Q9: vendían

....

Q10: podían

....

Q11: dependía

....

Q12: permitía

....

....

1.3   Los verbos que indican el cambio

Los verbos que indican el cambio

Go online

Place the verbs in the correct column according to their meaning.

Q13:

Getting bigger	Getting smaller

Verbs:

ascender	aumentar	descender	bajar
disminuir	incrementar	reducir	subir

. . . .

1.4   Adjetivos

Adjetivos 1

Go online

Find all the adjectives you can in the text. Write each one in the correct column in the table according to its gender and number and complete the table with the missing forms.

Q14: Según los especialistas, una de las causas del descenso del número de matrimonios es la independencia económica de la mujer. Basta una rápida mirada al tema para constatar que hasta hace unas décadas era impensable que una mujer pudiera prescindir del matrimonio para vivir. En un principio, las chicas dependían de la economía familiar -del sueldo paterno-, para pasar a depender del marido cuando se casaban. Hoy el porcentaje de mujeres que trabaja fuera de casa es alto. Esto hace que la mujer pueda disponer de una autonomía económica total y por consecuencia, el matrimonio ha dejado de ser la única vía de conseguir seguridad para una mujer.

. . . .

Q15: Complete the table, first with the adjectives you have found, then fill in all the cells.

Masculine singular	Feminine singular	Masculine plural	Feminine plural

. . . .

Adjetivos 2

Replace the adjectives which are missing from these sentences taken from the text.

Go online

| urbanas | comunes | mortales | reglamentarias | españolas | delanteros | medias |

Q16:

1. La mortalidad en las carreteras . . . registró en 2008 el mayor descenso de la historia.
2. Se produjeron 1.929 accidentes de circulación . . . en el año 2008.
3. El uso del cinturón está más generalizado entre los conductores y pasajeros de los asientos . . . .
4. El uso del cinturón es mayor en carretera que en vías . . . .
5. Se vigilará que los menores vayan sentados en sus sillitas . . . .
6. Las infracciones más . . . están relacionadas con el exceso de velocidad.
7. Además de reducir los accidentes de tráfico, se han moderado las velocidades . . . .

. . . .

1.5 Frases de tiempo

Tiempo

You will also need to be able to use a range of adverbs of time, when comparing the situation in the past with the present day. Decide whether these adverbial phrases refer to the present or the past.

Go online

Q17: Phrases

en la antigüedad	en nuestros días	aún
hace unas décadas	en siglos pasados	hoy en día	actualmente
	ahora		entonces
en la actualidad			en aquel entonces
en estos tiempos	en el pasado		antes
hace poco	todavía		

. . . .

Los tiempos verbales correctos

Change the Infinitives in the sentences below into the appropriate tense.

Go online

Q18: En el pasado muy pocas mujeres (trabajar) fuera de casa pero ahora la gran mayoría de las mujeres (tener) un trabajo por lo menos a tiempo parcial.

. . . .

Q19: Antiguamente los hombres (hacer) muy poco en casa pero hoy en día muchos (ayudar) con las tareas domésticas.

. . . .

Q20: Antes los jóvenes no (atreverse) a desobedecer a sus padres pero ahora (soler) ser más rebeldes e independientes.

. . . .

Q21: Antes la mujer sólo (viajar) en compañía pero ahora muchas (emprender) viajes solas a todas partes del mundo.

. . . .

Q22: En siglos pasados el hombre (tomar) todas las decisiones de la casa pero en nuestros días los dos (decidir) juntos lo que (haber) que hacer.

. . . .

Q23: Hace unas décadas (haber) pocas mujeres en puestos directivos, pero actualmente (desempeñar) papeles importantes en todos los sectores del mundo laboral.

. . . .

1.6   El deber

El deber

You will already have met the word "**deber**" in various contexts.

Can you translate each of these sentences?

Q24: Debemos hacer todo lo posible para ayudar a los pobres en una época de crisis.

. . . .

Q25: Tuve que vender mi casa para pagar deudas y todavía debo más de cien mil euros.

. . . .

Q26: Los deberes son una parte importante de la educación de los niños de todas las edades.

. . . .

In the first two examples "deber" is used as a verb, and in the third it appears as a plural noun.

> Now look at this sentence from the text.
>
> "El deber de la mujer era quedarse en casa"
>
> You will notice that "**deber**" here is preceded by the article "**el**". In other words it is a singular noun, and does not mean "homework".

Q27: Can you work out the meaning from the context?

....

Similarly the verb "poder" can be made into a noun.

Can you guess the meaning of it from this sentence?

Q28: Ahora por fin la mujer tiene el poder de decidir por sí misma lo mejor para ella.

....

....

1.7 El Imperativo

El Imperativo

This is an extract from a document produced during the Franco regime by the Sección Femenina de las JONS (1958) giving instructions to women on how to be a good wife! How times have changed!

Go online

Q29:

1. ...... preparada una comida deliciosa para cuando tu marido regrese del trabajo.
2. ...... a quitarle los zapatos
3. ...... con una sonrisa.
4. ...... en tono bajo, relajado y placentero.
5. ......, ... hablar primero, ... que sus temas de conversación son más importantes que los tuyos.
6. ...... a tu marido a poner en práctica sus aficiones e intereses y ...... de apoyo sin ser excesivamente insistente.
7. Si tú tienes una afición, ... no aburrirle hablándole de ésta ya que los intereses de las mujeres son triviales comparados con los de los hombres.

Word bank

salúdale	anima	ofrécete	intenta	habla
ten	recuerda	escúchale	sírvele	déjale

....

1.8   Presente

Go online

Presente

Find all the verbs which appear in the Present Tense .

Q30: Me llamo Laura, tengo 16 años y me gustaría denunciar que en estos tiempos y en este país sigue existiendo machismo, mucho machismo, ese que ha existido desde siempre y que se supone, sólo se supone, ha desaparecido de la España democrática, moderna y europea.

Todavía hay gente a la que le sigue pareciendo extraña la incorporación de la mujer al mundo laboral; muchas de las mujeres que trabajan fuera de casa (dentro todas trabajan y sin cobrar) sufren injusticias como acoso, sueldos menores que los hombres e, incluso, despidos o rescisión de contratos cuando se quedan embarazadas. Eso, por no hablar de la violencia que sufren a manos de sus parejas, maridos o novios.

Hay que educar a los niños y a las niñas desde muy pronto en el respeto a la dignidad de la mujer y en una verdadera igualdad de derechos: ¡verdadera! En ellos está nuestro futuro.

. . . .

1.9   Infinitivos

Go online

Infinitivos

Now write down the infinitives of these words.

Q31: Me llamo

. . . .

Q32: sigue

. . . .

Q33: tengo

. . . .

Q34: se supone

. . . .

Q35: hay

. . . .

Q36: trabajan

. . . .

Q37: sufren

. . . .

Q38: se quedan

....

Q39: está

....

Verbos miscellaneous

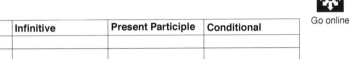

Q40:

Go online

Perfect	Infinitive	Present Participle	Conditional

- denunciar
- pareciendo
- me gustaría
- ha desaparecido
- cobrar
- existiendo
- hablar
- ha existido
- educar

....

Las piezas faltantes

Fill in the table with the missing parts of each verb. Use the 3rd person singular for each of the tenses.

Go online

Q41:

Perfect	Infinitive	Present Participle	Conditional
ha existido		existiendo	
ha desaparecido			
	denunciar		
	hablar		
	educar		

....

1.10   Sigue

Sigue + presente participio

Look at these two extracts from the text. Can you translate them into English?

Go online

Q42: En este país sigue existiendo machismo.

. . . .

Q43: Todavía hay gente a la que le parece extraño.

. . . .

> We have used the word "still" in both English sentences but the Spanish is different in each case.
>
> One sentence uses "**sigue**" plus the present participle. The other uses the word "**todavía**".

Q44: Can you change *En este país sigue existiendo machismo* into a sentence containing the word "**todavía**"?

. . . .

Q45: Now change *Todavía hay gente a la que le parece extraño* into a sentence containing "**sigue**" + the present participle.

. . . .

. . . .

Sigue and todavía

Rewrite these sentences using the alternative form.

Q46:

Las feministas dicen que...	
hay mujeres que siguen sufriendo a manos de sus parejas violentas.	
	algunos jefes todavía prefieren contratar a un hombre en vez de a una mujer.
parece que sigue habiendo trabajos considerados masculinos.	
	muchas personas piensan que el mundo en el que vivimos es todavía muy machista.
muchos hombres siguen siendo unos machistas empedernidos.	
	las mujeres todavía perciben sueldos inferiores a los de los hombres.
	las mujeres todavía encuentran dificultad para conseguir puestos de responsabilidad.

. . . .

1.11 Negativos

Negativos

Pick out all the examples of the negative which appear in these two extracts.

Go online

Q47:

Pero es, sobre todo, un examen para los padres. En el mejor de los casos, los padres "hacen lo que pueden". En otros, sencillamente se lavan las manos porque a su hijo "no hay quien le tosa". Muchos padres tiran la toalla en cuanto aparecen los primeros encontronazos. Prefieren esperar a que a su hijo se le pase la "edad tonta". No piensan que una adolescencia conflictiva es fruto de una infancia con deficiencias. Hay que echar un vistazo atrás y empezar a hacer cuentas. Cuántas horas solo en casa en compañía de la televisión, cuánto tiempo colgado de la Play Station o conectado a Internet, cuántos vacíos que nadie se preocupó de llenar.

Emilio Calatayud, magistrado del Juzgado de Menores de Granada, conoce de cerca los problemas de la gente joven. Afirma que a esta sociedad se le ha ido de las manos la educación de los adolescentes. "No hemos sabido ejercer correctamente la función de la paternidad y de la maternidad. Hemos pasado del autoritarismo excesivo que había antes, a una gran permisividad y a querer ser amigos de nuestros hijos. Y yo creo que un padre nunca puede ser el amigo de su hijo: tiene que ser su padre y punto".

....

Now match up the negative expressions with the positive expressions which mean the opposite.

Q48:

Negative expressions	Positive expressions
nada	
nadie	
tampoco	
ningún	
en ninguna parte	
todavía no	
nunca	
ya no	

Positive expressions

algo
algún
alguien
por todas partes
siempre
también
todavía
ya

....

1.12   Impersonal "se"

Impersonal "se"

Go online

In some sentences, **se** is used in an impersonal sense with a singular verb to indicate that people in general perform the action. There is no subject stated explicitly and although the verb is often translated by the passive in English (e.g. it is said), it can be translated in several different ways.

Q49: Match up the expressions in the first column with those in the list of English.

se dice que	
se estima que	
se ve que	
se piensa que	
se espera que	
se teme que	

English:

- it is reckoned that
- one hopes that
- people think that
- they say that
- we fear that
- you can see that

. . . .

Frases con impersonal "se"

Q50:

Go online

Re-order the Spanish words to form a sentence meaning the same as the English.

We must adopt a much more realistic attitude. realista que más tiene una mucho adoptar Se actitud
You can see the consequences wherever you look. ver por pueden Se mire se las mire donde se consecuencias
People are living for longer and longer. más vez cada vive tiempo Se
They reckon that at the moment there are more than four workers for every pensioner. actualidad en más calcula Se hay que la por cuatro pensionista de trabajadores
It's thought that in 50 years time there will be fewer than two. de que cree cincuenta de dentro dos Se años menos habrá

. . . .

1.13 El futuro

El futuro

How quickly things change! The world in the future will no doubt be very different from the world we live in today.

Go online

Consult the grammar guide if you need to revise the Future Tense.

Q51: Fill in each gap with one of the verbs from the list below.

Al ser más numerosos día a día, los ciudadanos mayores de 65 años ...... una influencia política decisiva. Se ...... muy familiares términos como jubilación, alzheimer, pensiones, golf y botox. Muchos mayores ...... trabajando después de los 65 años. Esto ...... una alteración importante de la actual dinámica personal: la secuencia adolescencia-juventud-estudios-trabajo se ...... unos cuantos años. Algunos psicólogos dicen que la adolescencia ...... hacia los 35 años. Las técnicas de reproducción asistida ...... tener hijos a los 70 años. Los mayores de 65 años ...... tener a sus padres o abuelos viviendo en sus casas. Los ancianos ricos ...... cada vez más ricos y los jóvenes pobres cada vez más pobres. El resultado ...... una sociedad tripartita con los muy ancianos y muy ricos en la cumbre, una masa de población intermedia y los jóvenes pobres y no influyentes en la base.

retrasará	tendrán	posibilitarán	seguirán	será
supondrá	serán	harán	podrán	finalizará

....

1.14 El subjuntivo

El subjuntivo

Verbs in Spanish are divided into three moods.

Go online

Q52: Can you remember the function of each?

The Indicative Mood	Is used to express commands.
The Imperative Mood	Is used mostly in subordinate clauses, following certain "triggers", for example, where an element of doubt, uncertainty or emotion is involved.
The Subjunctive Mood	The majority of verbs appear in this mood. It covers all tenses, Present, Future, Imperfect, Preterite etc.

....

Go online

Revisión de la formación del presente de subjuntivo

Q53:

Infinitivo	yo	nosotros
formar		
temer		
corresponder		
decidir		
afirmar		
atreverse		
añadir		

. . . .

Go online

Los verbos que requieren una atención especial en el presente de subjuntivo

Q54:

Infinitivo	yo	nosotros
tener		
volver		
organizar		
elegir		
suponer		
hacer		
conducir		
pedir		
preferir		
pagar		
decir		
ser		
ir		
pensar		
conocer		
sentir		

. . . .

Go online

¿Presente de subjuntivo o indicativo?

Q55: subamos

a) Subjunctive
b) Indicative

. . . .

Q56: preparas

a) Subjunctive
b) Indicative

. . . .

Q57: cruce

a) Subjunctive
b) Indicative

. . . .

Q58: salgo

a) Subjunctive
b) Indicative

....

Q59: decimos

a) Subjunctive
b) Indicative

....

Q60: empiece

a) Subjunctive
b) Indicative

....

Q61: sentamos

a) Subjunctive
b) Indicative

....

Q62: nazco

a) Subjunctive
b) Indicative

....

Q63: estéis

a) Subjunctive
b) Indicative

....

Q64: llegues

a) Subjunctive
b) Indicative

....

Q65: existen

a) Subjunctive
b) Indicative

....

Q66: podamos

a) Subjunctive
b) Indicative

....

El subjuntivo con verbos de influencia

The Subjunctive is used in clauses with verbs of influence, that is verbs of wishing, wanting, ordering, advising, recommending someone to do an action or forbidding, preventing or prohibiting someone from doing an action.

Go online

Look at some examples taken from the texts in this Theme.
Recomiendo a las mujeres que no adopten roles masculinos.

"**adopten**" is in the Subjunctive Mood because it follows the verb "**to recommend**" and the subject of the main clause is different from the subject of the subordinate clause.

Q67: What does it mean?

. . . .

Se nos pide que encajemos en un sistema de valores.

"**encajemos**" is in the Subjunctive Mood because it follows the verb "**to ask**" and the subject of the main clause is different from the subject of the subordinate clause.

Q68: What does it mean?

. . . .

Esto hace que la mujer pueda disponer de una autonomía económica total.

"**pueda**" is in the Subjunctive Mood because it follows the verb "**to make**" and the subject of the main clause is different from the subject of the subordinate clause.

Q69: What does it mean?

. . . .

Los verbos de influencia

Q70:

Match up the Spanish verbs with their English meaning.

Go online

decir	
pedir	
recomendar	
aconsejar	
exigir	
querer	
prohibir	
impedir	
persuadir	
hacer	
dejar	
permitir	

English:

to advise
to allow, let
to ask
to demand
to forbid
to make, to do
to permit
to persuade
to prevent
to recommend
to tell
to want

....

Practique con verbos de influencia utilizando presente de subjuntivo

Go online

Q71: El alto coste de la vivienda hace que el 60% de los jóvenes no ...... de casa antes de los 30 años. (marcharse)

....

Q72: La ley exige que todos los conductores ...... exámenes escritos de conocimiento y pruebas de carretera. (aprobar)

....

Q73: Hemos conseguido que la vida ...... un poco más fácil para la familia hoy en día. (ser)

....

Q74: Los avances en la medicina permiten que la tercera edad ...... ser un periodo largo. (poder)

....

Q75: ¿Por qué no quiere tu madre que ...... antes de terminar tus estudios universitarios? (casarte)

....

Q76: Las tareas domésticas y otras responsabilidades impiden que las madres solteras ...... tiempo para dedicarlo a su vida personal y social. (tener)

....

Q77: Nuestros profesores suelen insistir en que ...... los deberes a tiempo. (entregar)

....

Q78: Se recomienda que los niños no ...... más de dos horas frente a la televisión. (pasar)

....

Q79: El permiso de paternidad permite que los hombres también ...... de los primeros días de vida de sus hijos. (disfrutar)

....

El subjuntivo con antecedentes indefinidos o inexistentes

The subjunctive is used in adjective clauses (a clause that modifies a noun) when it refers to a person or object that is indefinite or does not exist.

Go online

> Busco un novio que **sea** alto, guapo, e inteligente.
> No hay nadie que **cumpla** estas condiciones.

When the clause refers to a person or object that does exist, the indicative is used.

> Mi hermana quiere una casa que **tenga** tres dormitorios y una piscina.
> Yo prefiero la casa que **tiene** cuatro dormitorios y un garaje.

"Forma una especie de barrera infranqueable para las mujeres que quieran acceder a puestos de responsabilidad"

Q80: How would you translate it?

....

Antecedentes indefinidos o inexistentes

Q81:

Go online

1. Necesitamos un sistema que nos ...... a todos por igual. (tratar)
2. Quiero un trabajo que ...... más responsabilidad y que me ...... desarrollarme profesionalmente. (conllevar) (permitir)
3. Buscamos a jóvenes que ...... inglés y que ...... conducir. (hablar) (saber)
4. Sólo queremos un entorno donde ...... vivir en paz y seguridad. (poder)
5. Los ladrones buscan en los coches cualquier artículo que ...... valor. (tener)
6. No hay nadie que ...... perfectamente lo que pasa. (entender)
7. Los jóvenes aceptarán cualquier trabajo que les ...... un sueldo decente. (proporcionar)
8. ¿Conoces a alguien que me ......? (ayudar)
9. No encuentro nada que me ...... en la lista de ofertas. (apetecer)
10. Buscamos a otros que ...... nuestro interés por la política. (compartir)

....

El subjuntivo después quizás

The Subjunctive is used after the words quizás, quizá, tal vez and acaso, which all mean "perhaps" and "maybe", when there is some doubt involved.

Go online

> Tal vez sea verdad - Maybe it's true. (... but maybe it's not!)

> Quizás tengan razón - Perhaps they are right. (... but perhaps they aren't!)

Q82:

1. Tal vez nuestros amigos . . . . . . a visitarnos el año que viene. (volver)
2. Zapatero asegura que quizás . . . . . . en la fase final del terrorismo. (estar, nosotros)
3. Como el ayuntamiento no puede garantizar plaza en este colegio quizá . . . . . . que buscarse otro. (tener, los padres)
4. Acaso . . . . . . otros métodos más rápidos de resolver el cubo de Rúbik pero para principiantes se recomienda éste. (haber)
5. Quizá no . . . . . . el mejor momento para comprar una casa.(ser)
6. Quizás . . . . . . nosotros un par de meses de descanso para reflexionar sobre ello. (necesitar)

. . . .

Go online

El subjuntivo - ser

The Subjunctive is used after impersonal expressions which indicate a value judgement, usually involving the verb **ser** followed by an adjective.

Es + adjective + que ⇒ subjunctive

Manu Chao piensa que es lógico que la gente joven descargue su música de la red.
Manu Chao thinks that it is logical that young people should download his music from the Net.

Here are some other similar expressions which require the subjunctive.

Q83:

Match up the Spanish with the English.
Jumbled expressions

es importante que	it is advisable that
es imprescindible que	it is better that
es aconsejable que	it is essential that
es preciso que	it is logical that
es interesante que	it is odd that
es mejor que	it is interesting that
es frecuente que	it is important that
es lógico que	it is normal that
es raro que	it is necessary that
es normal que	it is often the case that

. . . .

El uso del subjuntivo

The following statements taken from the text all contain a verb in the subjunctive. Decide why the subjunctive is used in each case.

Go online

Q84: Dice que es lógico que la gente joven se descargue sus discos de la Red.

a) A. after a verb of influence
b) B. after an indefinite antecedent
c) C. after a verb of thinking or believing used negatively
d) D. after a conjunction of purpose
e) E. after a verb of emotion
f) F. after an impersonal expression involving a value judgement
g) G. expressing a command a wish or encouragement to do something

. . . .

Q85: No le importa que sus letras y sus sonidos circulen por la Red.

a) A. after a verb of influence
b) B. after an indefinite antecedent
c) C. after a verb of thinking or believing used negatively
d) D. after a conjunction of purpose
e) E. after a verb of emotion
f) F. after an impersonal expression involving a value judgement
g) G. expressing a command a wish or encouragement to do something

. . . .

Q86: Que piratéen a todos los famosos.

a) A. after a verb of influence
b) B. after an indefinite antecedent
c) C. after a verb of thinking or believing used negatively
d) D. after a conjunction of purpose
e) E. after a verb of emotion
f) F. after an impersonal expression involving a value judgement
g) G. expressing a command a wish or encouragement to do something

. . . .

Q87: Esto no significa que defienda a las mafias organizadas.

a) A. after a verb of influence
b) B. after an indefinite antecedent
c) C. after a verb of thinking or believing used negatively
d) D. after a conjunction of purpose
e) E. after a verb of emotion
f) F. after an impersonal expression involving a value judgement
g) G. expressing a command a wish or encouragement to do something

. . . .

Q88: Aboga porque las autoridades competentes actúen de una forma más eficaz.

---

a) A. after a verb of influence
b) B. after an indefinite antecedent
c) C. after a verb of thinking or believing used negatively
d) D. after a conjunction of purpose
e) E. after a verb of emotion
f) F. after an impersonal expression involving a value judgement
g) G. expressing a command a wish or encouragement to do something

. . . .

Q89: El sistema consiste en avisar al internauta para que deje de bajar canciones.

a) A. after a verb of influence
b) B. after an indefinite antecedent
c) C. after a verb of thinking or believing used negatively
d) D. after a conjunction of purpose
e) E. after a verb of emotion
f) F. after an impersonal expression involving a value judgement
g) G. expressing a command a wish or encouragement to do something

. . . .

Q90: España debe aplicar una legislación como la francesa que persiga las descargas ilegales.

a) A. after a verb of influence
b) B. after an indefinite antecedent
c) C. after a verb of thinking or believing used negatively
d) D. after a conjunction of purpose
e) E. after a verb of emotion
f) F. after an impersonal expression involving a value judgement
g) G. expressing a command a wish or encouragement to do something

. . . .

Q91: Si queremos que exista un cine español y una música española es necesario frenar la piratería.

a) A. after a verb of influence
b) B. after an indefinite antecedent
c) C. after a verb of thinking or believing used negatively
d) D. after a conjunction of purpose
e) E. after a verb of emotion
f) F. after an impersonal expression involving a value judgement
g) G. expressing a command a wish or encouragement to do something

. . . .

Crear frases con expresiones impersonales

Create sentences with the Impersonal expressions, using the *nosotros* form of the Present Subjunctive.

Go online

Q92:

es importante que	aceptar cuanto antes las nuevas tecnologías.	
es imprescindible que	ponerse al corriente de lo que pasa.	
es normal que	guardar un poco de dinero para cuando haga falta.	
es aconsejable que	evitar las situaciones conflictivas.	
es mejor que	escuchar lo que dicen los expertos.	
es preciso que	no convertirse en adictos a Internet.	
es interesante que	encontrar tan difícil la comunicación.	
es raro que	tener dificultades para desconectarnos.	

....

Presente de subjuntivo

Q93: Provide the present subjunctive of the verb in brackets.

Go online

1	Es lógico que los chavales *(bajar)* discos de la red.
2	Es raro que los padres no *(vigilar)* las páginas web que ven sus hijos.
3	Es preciso que la policía *(hacer)* un esfuerzo para acabar con la compra de discos y DVD pirateados.
4	Es normal que un chico *(querer)* un móvil con la última tecnología.
5	Es interesante que el Gobierno no *(tomar)* cartas en el asunto.
6	Es frecuente que los niños *(preferir)* los juguetes tecnológicos a los tradicionales.
7	Es mejor que todos *(comunicarse)* por correo electrónico porque será mucho más rápido.
8	Es imprescindible que *(enseñarse)* a los niños los peligros de las salas de chat.
9	Es importante que los jóvenes *(saber)* la diferencia entre el lenguaje de los mensajes de texto y el lenguaje que se debe usar en los exámenes.
10	Es aconsejable que los usuarios no *(compartir)* sus datos personales con desconocidos en Internet.

....

El imperfecto de subjuntivo

If necessary, consult the grammar guide to revise the formation of the Imperfect Subjunctive.

Go online

The Imperfect Subjunctive is used in clauses introduced by si which indicate a remote or hypothetical possibility. The verb in the main clause will be in the conditional.

*Si yo **tuviera** 15 años, también lo **haría**.*
If I **were** 15 years old, I **would** do so as well.

*Si todos **hiciéramos** un esfuerzo, **habría** discos más baratos.*
If we all **made** an effort, there **would be** cheaper CDs.

Q94: Link the two halves of the sentences.

Si al público no le gustaran tanto los programas tipo Gran Hermano	no sabría qué hacer.
Si todo el mundo descargara música de forma ilegal	el mundo sería un sitio mejor.
Si los padres supieran lo que hacen sus hijos en Internet	tendría menos faltas de ortografía.
Si perdiera mi móvil	estarían muy preocupados.
Si los mayores no tuvieran tanto miedo al ordenador	sus clases serían mucho más interesantes.
Si todos los profesores dispusieran de una pizarra interactiva	dejarían de emitirlos.
Si supiera escribir un poco mejor con el teclado	no habría tantos casos de obesidad infantil.
Si los niños pasaran menos tiempo delante de la televisión	no les permitirían a sus hijos usarlos.
Si todas las armas y las bombas desaparecieran	se darían cuenta de las muchas ventajas que podría ofrecerles.
Si los padres conocieran el contenido de algunos de los videojuegos	eso tendría un efecto devastador en los ingresos de la industria musical.

. . . .

1.15   El subjuntivo 2

Triggers for the subjunctive

As you know there are many "triggers" which signal that the use of the subjunctive is required.

Follow the next section to see some examples.

*El Gobierno **quiere que** todos **tomemos** conciencia de la necesidad de reducir la cantidad de basura que producimos.*

| **quiere que** is a verb of influence | which triggers the use of the subjunctive, in this case | **tomemos** |

*La investigación estudia alternativas económicas para cuando **se agoten** las reservas de petróleo y gas del Mar del Norte.*

| words like **cuando** which signal the **future** | which triggers the use of the subjunctive, in this case | **se agoten** |

*La investigación estudia alternativas económicas para cuando Para sustituir al petróleo seleccionaremos **fuentes de energía** que nos **ofrezcan** la mayor eficiencia a cambio de nuestra inversión en tiempo, trabajo y dinero.*

| **fuentes de energía** is an **indefinite phrase** | which triggers the use of the subjunctive, in this case | **ofrezcan** |

***Es imprescindible que** en situaciones de emergencia como la causada por el huracán Katrina **haya** coordinación entre todos los servicios públicos.*

| **Es imprescindible que** is an **impersonal phrase** expressing a value judgement | which triggers the use of the subjunctive, in this case | **haya** |

***Me alegro de que** se les **enseñe** a los jóvenes a cuidar el medio ambiente.*

| **Me alegro de que** is a verb of **emotion** | which triggers the use of the subjunctive, in this case | **enseñe** |

*¿Quién tiene la culpa? Pues, la responsabilidad es compartida pero **quizás** los países industrializados **encabecen** la lista.*

| Words like **quizás** which signal uncertainty or doubt | trigger the use of the subjunctive, in this case | **encabecen** |

Gramática: Secuencia de tiempos

Go online

If the **main verb** of the sentence is in the: Present; Perfect; Future or Imperative, then the **subjunctive** that depends on it will be in the **Present** or **Perfect**.

but

If the **main verb** of the sentence is in Any Other Tense, then the **subjunctive** that depends on it will be in the **Imperfect** or **Pluperfect**.

Remember P P F I and A O T!

An example to illustrate sequence of tenses

See how the sequence of tense works with the Subjunctive after the verb **aconsejar**.

Los ecologistas les **aconsejan** que **ahorren** energía.	Ecologists **advise** them to save energy.	**Present**
Los ecologistas les **han aconsejado** que **ahorren** energía.	Ecologists **have advised** them to save energy.	**Perfect**
Los ecologistas les **aconsejarán** que **ahorren** energía.	Ecologists **will advise** them to save energy.	**Future**
Aconséjales que **ahorren** energía.	**Advise** them to save energy.	**Imperative**

BUT

Los ecologistas les **aconsejaban** que **ahorraran / ahorrasen** energía.	Ecologists **used to advise** them to save energy.	**Imperfect**
Los ecologistas les **aconsejaron** que **ahorraran / ahorrasen** energía.	Ecologists **advised** them to save energy.	**Preterite**
Los ecologistas les **aconsejarían** que **ahorraran / ahorrasen** energía.	Ecologists **would advise** them to save energy.	**Conditional**
Los ecologistas les **habían aconsejado** que **ahorraran / ahorrasen** energía.	Ecologists **had advised** them to save energy.	**Pluperfect**
Los ecologistas les **habrían aconsejado** que **ahorraran / ahorrasen** energía.	Ecologists **would have advised** them to save energy.	**Conditional Perfect**

Present or Imperfect? (1)

Choose the correct tense of subjunctive from the two options given.

Q95: La Red de Ciudades por el Clima pretende que los gobiernos locales *asuman / asumieran* una serie de compromisos para luchar contra el problema del cambio climático.

a) asuman
b) asumieran

. . . .

Q96: Las necesidades de desarrollo de los países del tercer mundo hacen que los mecanismos de control ambientales no *sean / fuesen* muy estrictos.

a) sean

b) fuesen

....

Q97: Fue una pena que no *haya / hubiera* voluntad política para afrontar el problema en su totalidad.

a) haya
b) hubiera

....

Q98: Nuestro planeta seguirá en un curso de deterioro hasta que *sea / fuera* demasiado tarde para volver atrás.

a) sea
b) fuera

....

Q99: Logró que el Estado las *proteja / protegiera* con una ley en 1995.

a) proteja
b) protegiera

....

Q100: El reto consistía en diseñar un vehículo de bajo consumo y altas prestaciones que *responda / respondiese* a la demanda del público moderno.

a) responda
b) respondiese

....

Q101: Naciones Unidas pretende que la celebración del Año Internacional del Gorila *sirva / sirviese* para mejorar la situación de estos primates.

a) sirva
b) sirviese

....

Q102: Los practicantes de la 'dieta de las 100 millas' comen sólo productos que *tengan / tuvieran* su origen en un radio de 100 millas.

a) tengan
b) tuvieran

....

Q103: Desde el Partido Verde, Nicolas Hulot, logró que el 51% de los franceses *esté / estuviera* dispuesto a votarlo.

a) esté
b) estuviera

....

Q104: Sería una vergüenza si no nos *esforcemos / esforzáramos* más por eliminar la brecha entre ricos y pobres a nivel mundial.

a) esforcemos
b) esforzáramos

....

This time you have to form the Subjunctive in the right tense from the infinitive given.

Q105:

1	La instalación de paneles solares permitiría que ...... menos energía.	consumirse
2	El director decía que era completamente razonable sugerir que los niños ...... que pensar y actuar ecológicamente en el colegio.	tener
3	Estas organizaciones solicitan al Gobierno español que ...... un acuerdo europeo ambicioso con compromisos internos de reducción de emisiones.	impulsar
4	Podremos disminuir estos efectos si buscamos nuevas fuentes de energía que ...... renovables.	ser
5	Los hoteles y viviendas que no ...... con esas condiciones fueron derribados.	cumplir
6	Se han fomentado programas de ecoturismo que ...... el desarrollo sostenible de los habitantes.	permitir
7	Durante los años 70 ella participó en el movimiento Chipko, formado por mujeres que se abrazaban a los árboles para evitar que los	talar

....

....

El subjuntivo después para que

Para que

Go online

The preposition para is followed by the infinitive if the subject of the main clause is the same as the subject of the subordinate clause.

I am saving up in order to go to university.
(I am saving up and I am going to university.)
*Estoy ahorrando **para** ir a la Universidad.*

If, however, the subject of the main clause is different from the subject of the subordinate clause, you must use **para que** followed by the subjunctive.

My parents are saving up so that I can go to university.
(**My parents** are saving up and I am going to university.)

*Mis padres están ahorrando **para que yo pueda** ir a la universidad.*

Match up the two parts of these sentences.

Q106: Match up the two halves of these sentences containing **para que**.
Muddled expressions:

La ecología debe ser materia de estudio obligatorio	para que Estados Unidos y otros países firmen el acuerdo.
Los miembros del tratado están estudiando nuevas fórmulas	para que la gente empiece a prestar la debida atención.
Sólo basta una leve modificación de temperatura	para que tengamos una visión más amplia de lo que ocurre en el resto del mundo.
Antena 3 ha preparado un reportaje sobre la situación en Latinoamérica	para que todos los estudiantes tomen conciencia de la necesidad de colaborar.
Tal vez sea necesaria una catástrofe	para que se rompa el delicado equilibrio de la naturaleza.

. . . .

traducción of para que

Para que normally means **in order that** or **so that** but it can be translated in several ways.

Q107: Attempt a traducción of the sentences you have just created.

. . . .

Alternative endings

Now try to make up alternative endings to the sentences, using another clause beginning with **para que** + subjunctive. Show your answers to your teacher/ tutor.

Los miembros del tratado están estudiando nuevas fórmulas para que . . .	
La ecología debe ser materia de estudio obligatorio para que . . .	
Sólo basta una leve modificación de temperatura para que . . .	
Antena 3 ha preparado un reportaje sobre la situación en Latinoamérica para que . . .	
Tal vez sea necesaria una catástrofe claramente atribuible al calentamiento global para que . . .	

. . . .

Para que + imperfect subjunctive

Remember that the tense of the Subjunctive depends on the tense of the main verb. The main verbs in the previous activity were all in the Present or Perfect tense. You will

Go online

need to use the Imperfect or Pluperfect subjunctive if the tense of the main verb is other than the Present, Perfect, Future and the Imperative.

The tense of the main verb has been changed. Complete the sentences again, this time using the Imperfect Subjunctive of the infinitive in brackets.

Q108:

1. La ecología debería ser materia de estudio obligatorio para que todos los estudiantes . . . . . . conciencia de la necesidad de colaborar. (tomar)
2. Los miembros del tratado estuvieron estudiando nuevas fórmulas para que Estados Unidos y otros países . . . . . . el acuerdo. (firmar)
3. Sólo bastaría una leve modificación de temperatura para que se . . . . . . el delicado equilibrio de la naturaleza. (romper)
4. Antena 3 había preparado un reportaje sobre la situación en Latinoamérica para que . . . . . . una visión más clara de lo que ocurre en el resto del mundo. (tener)
5. Tal vez fuera necesaria una catástrofe claramente atribuible al calentamiento global para que la gente . . . . . . a prestar la debida atención. (empezar)

. . . .

Go online

Otras expresiones similares a *para que* que requieren el subjuntivo

There are other expressions which require the Subjunctive in a similar way to **para que**.

Q109: Match up the Spanish with the English equivalents.
Muddled words

a fin de que	before
de modo que	even though
antes de que	so that
sin que	unless
aunque	on condition that
con tal de que	in order that
a condición de que	provided that
a menos que	unless
a no ser que	without

. . . .

Use one of the expressions above to complete each of the following sentences.

Q110:

1. Tenemos que cambiar nuestra forma de vida . . . . . . sea demasiado tarde.
2. No vamos a poder evitar una crisis global . . . . . . todas las naciones del mundo se pongan de acuerdo.

3. ...... aprendamos a compartir los recursos de forma equitativa no vamos a disfrutar de la paz.

4. Tenemos un futuro delante de nosotros que puede ser bueno ...... cambiemos de rumbo.

5. Vamos a montar una campaña ...... todos sepan las ventajas de los productos que ofrecen los mayores beneficios para el medio ambiente.

6. El primer ministro ha dado por buena la crisis ...... lleve a su "nuevo orden mundial"

7. ...... parezca mentira todavía hay países donde se sigue cazando y capturando especies protegidas.

8. Por un lado el peligro de un accidente nuclear es serio, pero podemos estar 50 años ...... ocurra otro.

....

Expresiones que exigen subjuntivo

Q111:

Match up the two halves to provide a logical sentence.

Go online

Unmatched sentences

Debemos frenar las emisiones que dañan la capa de ozono	a no ser que sean realmente indispensables.
No debemos emplear productos contaminantes para la limpieza	antes de que sea demasiado tarde.
Cada vez más gente separa y recicla	aunque sean ligeramente más caros.
Podemos usar bolsas de plástico para la compra	sin que nuestra forma de vida sufra grandes alteraciones.
Nos beneficia a todos comprar productos ecológicos	con tal de que éstas se vuelvan a utilizar varias veces más.
Se pueden tener hábitos ecológicos	de modo que la basura pueda recibir un tratamiento más ecológico.

....

Use of the Imperfect Subjunctive with these expressions

Q112: Use the correct part of the Imperfect Subjunctive of the infinitives given to complete the following sentences. It should be obvious which infinitive to choose!

1. El gobierno indicó que estaría dispuesto a dar ayudas económicas a las familias a condición de que ...... todos los electrodomésticos de más de diez años de antigüedad.

2. Sé que seguiría reciclando el cristal y el papel aunque el contenedor de reciclado ...... lejos de casa.

3. Decidí no volver a usar el coche a menos que ...... estrictamente necesario.

4. Ojalá todos los países firmaran el tratado sin que . . . . . . que llegar a las amenazas.

5. La alerta se anunció por radio y televisión antes de que . . . . . . el temporal.

6. La orden dictaba que la fábrica tendría que pagar una multa de 20.000 euros a no ser que . . . . . . el problema de fugas tóxicas.

7. El artículo recomendaba comprar bombillas de bajo consumo a fin de que el gasto mensual de luz . . . . . . reducirse considerablemente.

8. Estaría dispuesta a comprar sólo productos de limpieza ecológicos con tal de que . . . . . . igualmente efectivos que los productos convencionales.

9. El pueblo se sentía orgulloso de sus molinos de viento aunque el paisaje . . . . . . alterado.

10. Muchos extranjeros compraron casas en la playa sin que nadie les . . . . . . que tendrían problemas con la Ley de costas.

estar	verse	poder	cambiar	tener
decir	empezar	resultar	ser	solucionar

. . . .

1.16 La voz pasiva

La voz pasiva

Active or passive?

Go online

In active sentences, there are three elements: a **subject**, a **verb** and an **object**. The **subject** carries out the action of the **verb** and the **object**"receives" it.

> *Las tropas nacionalistas ocuparon los edificios vacíos.*
> The Nationalist troops occupied the empty buildings.

The focus in this sentence is on the **subject** "las tropas nacionalistas".

Sometimes it is the **object** which is the most important element and we want to focus on it. To do this we create a passive sentence using the verb "**ser**" plus the past participle used adjectively.

> *Los edificios vacíos fueron ocupados por las tropas nacionalistas.*
> The empty buildings were occupied by the Nationalist troops.

Decide whether the verb in each sentence is active or passive.

Q113: La ley ha sido aprobada finalmente por el Gobierno.

a) Active
b) Passive

. . . .

Q114: Los estudiantes convocaron una huelga para protestar contra la falta de recursos.

a) Active
b) Passive

....

Q115: La exposición había sido organizada por un grupo de artistas jóvenes.

a) Active
b) Passive

....

Q116: La semana que viene el programa será trasmitido en directo desde Madrid.

a) Active
b) Passive

....

Q117: Todos los vehículos mal aparcados fueron llevados por la grúa al depósito.

a) Active
b) Passive

....

Q118: Los alumnos que han suspendido el examen tendrán que hacerlo otra vez en septiembre.

a) Active
b) Passive

....

Q119: El periódico publicó una serie de artículos sobre las dificultades de ser madre soltera.

a) Active
b) Passive

....

Q120: El endurecimiento de la selectividad fue rechazado por la asociación estudiantil.

a) Active
b) Passive

....

The Passive with "Se"

The passive is also expressed by the use of the reflexive pronoun "**se**". The word order in these sentences is often inverted, with the verb coming before the subject.

Se recibió el reportaje con entusiasmo.
The report was received enthusiastically.

Decide whether these sentences are examples of the pronoun "se" being used to express the passive or as part of a normal reflexive verb.

Q121: Las asociaciones de padres se quejaron del mal estado del comedor escolar.

a) Reflexive
b) Passive

. . . .

Q122: Se presentaron varias enmiendas a las propuestas.

a) Reflexive
b) Passive

. . . .

Q123: Esta noche se firmará un acuerdo entre todos los partidos.

a) Reflexive
b) Passive

. . . .

Q124: Un día el ejército se levantó en armas en una clara infracción de la Ley.

a) Reflexive
b) Passive

. . . .

Q125: A las siete y media se clausuró finalmente la conferencia.

a) Reflexive
b) Passive

. . . .

Q126: Después de casi dos años de negociaciones se ha firmado el documento.

a) Reflexive
b) Passive

. . . .

Q127: Los militares se darán cuenta en muy poco tiempo de que su plan ha fracasado.

a) Reflexive
b) Passive

. . . .

Q128: El diputado se equivocó cuando decidió votar en contra.

a) Reflexive
b) Passive

....

....

Traducción verbos pasivos

Q129:

Muddled passive verbs

Go online

han sido concedidas	were arrested
se dictaron	were filed
se presentaron	have been granted
se han solicitado	were issued
se denunciaron	were murdered
fueron detenidos	is related to
fueron asesinadas	were reported
se relaciona	have been requested

....

Verbos pasivos

Q130:

Go online

1. En 2007 68 mujeres ...... en España por su pareja o ex pareja sentimental.
2. En 2006 ...... 39.079 denuncias por casos de violencia de género y ...... más de 11.000 órdenes de protección dirigidas a mujeres.
3. Y ...... casi 72.000 órdenes de protección, de las que un 75,5% ......
4. El año pasado en España 45.296 hombres ...... por la policía y guardia civil por violencia de género: esto es, un detenido cada 12 minutos.
5. Una de cada 10 detenciones por infracción penal ...... con la violencia contra la mujer.
6. El pasado año ...... 6.798 casos de abusos sexuales contra mujeres en España.

| han sido concedidas | se presentaron | se denunciaron | fueron asesinadas |
| se dictaron | se han solicitado | fueron detenidos | se relaciona |

....

Práctica formando oraciones utilizando el pasivo

Use of "se" to express the passive voice

Look at this extract from the text.

Go online

"se culpaba a los videojuegos de crear todo tipo de problemas"

This best way to translate this into English is with the passive.

Videogames were blamed for causing all sorts of problems.

Q131: How would you translate this other extract from the text?
"Desde que se le regaló hace poco una consola Wii."

. . . .

Q132: Re-order the Spanish words to form a sentence meaning the same as the English.
The capital letter will indicate the first word of the sentence!

The presenter was blamed for the failure of the programme.	al programa del achacó el le fracaso Se presentador
They are accused of hounding the celebrities continuously.	acosar a Se de los acusa famosos les continuamente
We were informed yesterday about the accident.	nos ayer del informó accidente Se
The prisoner will be freed tomorrow.	al Se mañana prisionero liberará
The winner has been notified by email.	ha email Al comunicado por ganador le se
All passengers are asked to wait in the Terminal.	que los esperen a pasajeros ruega todos Terminal la Se en
It was accepted as an Olympic sport in 2000.	2000 el olímpico Se año deporte en como aceptó

. . . .

El verdadero pasiva

The passive voice is often used when talking about inventions.

The telephone **was invented** by Alexander Graham Bell.
*El teléfono **fue inventado** por Alexander Graham Bell.*

The first televisions **were created** in the 1920s.
*Las primeras televisiones **fueron creadas** en los años veinte.*

¡Ojo! Notice that the past participle has to agree with the subject.

> **Top tip**
>
> ¡Ojo! Remember to make the past participle agree with the subject of the sentence.

Provide the passive of the verbs in brackets.

Q133: El primer microondas de uso doméstico (fabricar) en 1967.

. . . .

Q134: La primera aspiradora eléctrica (diseñar) en 1908.

....

Q135: Las primeras grabaciones en vídeo (realizar) en 1951.

....

Q136: Los teléfonos móviles (fabricar) por primera vez en 1983.

....

Q137: El primer cajero automático (instalar) en 1968.

....

Q138: El DVD (lanzar) al mercado en 1997.

....

Q139: El fax (inventar) en 1980.

....

Q140: Los emoticones (crear) en 1982.

....

Q141: Vista, la última versión de Windows, (desarrollar) en 2007.

....

Q142: El sistema global de navegación por satélite (idear) a mediados de los años ochenta.

....

Q143: El primer correo (enviar) en el año 1973.

....

Q144: La primera vez que (utilizar) cremalleras en prendas de ropa fue en 1920.

....

La pasiva expresada por "se"

The passive is also expressed by the use of the reflexive pronoun "**se**". Now create the sentences again using this form.

Go online

The first televisions were created in the 1920s.

Las primeras televisiones se crearon en los años veinte.

Express the sentences again, this time using the pronoun se. This time you will have to pay attention to whether the verb is singular or plural.

Q145:

1. El primer microondas de uso doméstico (fabricar) en 1967.

2. La primera aspiradora eléctrica (diseñar) en 1908.
3. Las primeras grabaciones en vídeo (realizar) en 1951.
4. Los teléfonos móviles (fabricar) por primera vez en 1983.
5. El primer cajero automático (instalar) en 1968.
6. El DVD (lanzar) al mercado en 1997.
7. El fax (inventar) en 1980.
8. Los emoticones (crear) en 1982.
9. Vista, la última versión de Windows, (desarrollar) en 2007.
10. El sistema global de navegación por satélite (idear) a mediados de los años ochenta.
11. El primer correo (enviar) en el año 1973.
12. La primera vez que (utilizar) cremalleras en prendas de ropa fue en 1920.

      . . . .

1.17 Pretéritos irregulares

Pretéritos irregulares

Go online

Before you tackle this activity you may want to revise the Preterite Tense in the Grammar Guide, particularly the section on Strong Preterites.

Q146:

Change the verbs in bold in the following sentences into the Preterite tense.

"**Estoy** fatal" **dice** Victoria.	
La vuelta al trabajo de los españoles **pone** a prueba la ley contra el tabaco.	
Victoria no **ha podido** abandonar su puesto para encender un cigarrillo.	
De golpe **tiene** que dejar el hábito.	
La actitud de la gente **está siendo** muy positiva.	
En el ámbito laboral no **está habiendo** dificultades.	
Se **han visto** numerosos grupos de fumadores a las puertas de los edificios.	
Quiere subrayar que la gente está cumpliendo la norma.	
Esta normativa **traerá** como consecuencia un mal ambiente en las oficinas.	
De cualquier manera, un dato **está** claro.	

      . . . .

1.18   Ser v Estar

Ser v Estar

*The difficulties of the verb **To Be** in Spanish*

Look at these two sentences from the text.

Go online

> *Sin embargo, el primer día del año fue una jornada de escasa actividad.*
> *"Ahora mismo estoy fatal", dice Victoria.*

You will notice that the verb **To Be** is translated by the verb **Ser** in the first sentence and **Estar** in the second.

Q147:
What determines the choice of verb?

....

In the following questions choose the correct verb to complete the sentences. If you need to refresh your memory about which verb to choose, consult the section on Ser V Estar in the Higher Grammar guide before you start.

Q148: Los espacios para no fumadores . . . casi inexistentes en España.

a) son
b) están

....

Q149: España . . . uno de los países con mayor índice de fumadores de Europa.

a) es
b) está

....

Q150: Hasta el 40% de la población . . . enviciada y el número de adolescentes y mujeres que fuman también . . . aumentando.

a) es and es
b) es and está
c) está and es
d) está and está

....

Q151: La nueva ley . . . ya en vigor y ahora . . . prohibido fumar en todos los centros de trabajo.

a) es and es
b) es and está
c) está and es
d) está and está

....

Q152: Muchos . . . de acuerdo con la ley y piensan que van a fumar menos pero no se puede negar que . . . malo para los negocios.

a) son and está
b) están and es
c) son and están
d) está and es

....

Q153: En la biblioteca . . . bien que no dejen fumar, pero igual en los bares . . . un poco exagerado todo el asunto.

a) es and es
b) es and está
c) está and es
d) está and está

....

Q154: En la mayoría de los bares . . . permitido fumar pero en esta cafetería no, así que la gente . . . fuera fumando.

a) es and es
b) es and está
c) está and es
d) está and está

....

Q155: Hay quienes . . . dispuestos a dar guerra antes de que les convenzan definitivamente para dejar el tabaco.

a) es
b) están

....

Q156: Las máquinas expendedoras de tabaco deberán . . . situadas en el interior del local y deberán . . . controladas con un mando a distancia por el personal del establecimiento.

a) ser and ser
b) ser and estar
c) estar and ser
d) estar and estar

....

Q157: . . . una vergüenza de Ley. No se cumple. . . . harto de ir a bares, restaurantes y sobre todo discotecas y salir apestando de humo.

a) Es and Estoy
b) Es and Soy

c) Está and Soy
d) Está and Estoy

. . . .

Q158: Los bares que superan los 100 metros cuadrados . . . obligados a habilitar zonas
para fumadores, pero . . . difícil encontrar uno que respete la ley.

a) son and está
b) son and es
c) están and es
d) están and está

. . . .

. . . .

1.19   Adverbios

Adverbios

When you come to tackle a Reading Comprehension, always look carefully for adverbs
or adverbial phrases. The passage might contain adverbs of manner (e.g. *lentamente*)
place (e.g. *allí*) time (e.g. *dentro de poco*) quality (e.g. *mejor*) or negation (e.g. *nunca*).

Go online

Q159: In the first paragraph, there is an example of an adverbial phrase of time which
indicates clearly that the tense of the verb should be the past. Can you find it?

. . . .

Q160: There is another adverbial phrase which indicates that the writer has moved on
to talk about more recent times. Can you find it?

. . . .

Now look at the **second paragraph**. Again, in this paragraph the writer uses adverbial
phrases to indicate events in the past, and in the present.

El "boom" de esta nueva forma de entretenimiento llegó en los años ochenta, pero los
juegos de aquella época con sus rompecabezas, marcianitos y comecocos recorriendo
laberintos, sorteando peligros o comiendo los dibujos que iban apareciendo por todas
partes eran rudimentarios frente a los juegos actuales, con sus sofisticadas aventuras,
realistas partidos de fútbol y los juegos basados en retos súper emocionantes.

Sin embargo, la revolución en el mundo de los videojuegos no se limita a una simple
mejora en los gráficos o a una mayor sofisticación de las historia.   Hasta hace
muy poco tiempo se culpaba a los videojuegos de crear todo tipo de problemas:
el entorpecimiento de la mente y el cuerpo así como la exclusión social por pasar
demasiadas horas a solas sentados con un mando frente a una pantalla. En cambio,
hoy nos encontramos ante una nueva generación de videojuegos interactivos que
ejercita nuestro cuerpo y alerta nuestras neuronas.

Q161: Look closely at the adverbial phrases listed below and fill in the missing details.

This adverbial phrase ...	The verb or verbs associated with the adverbial phrase is ...
en los años ochenta	
de aquella época	
hasta hace muy poco tiempo	
hoy	

Q162: Are there other adverbial phrases in the two first paragraphs? List any you find according to their type.

of time?	
of manner?	
of place?	
of quality?	
of negation?	

There will almost certainly be words in the Reading Comprehension which are unfamiliar to you, and almost certainly you will not have time to look up every word that you are not sure of.

There are several strategies you can use to work out the meaning of unfamiliar words. **Try to work out the meaning from the context in the passage.**

Look at this sentence from the passage.

Quizás **una de las características** más llamativas **de los nuevos videojuegos/** modelos, sea que **ya no** se dirigen tan **sólo a un público adolescente.**

The words in bold are vital to your understanding of the sentence. These four elements should be enough for you to get the gist of the sentence. Look up "*llamativo*" if you have time but think carefully about which words you really need to look up.

Go online

La formación de los adverbios

Many adverbs are formed by adding - *mente* to the feminine form of the adjective.

Create the adverbs from these adjectives.

Q163: fiel

Q164: lento

Q165: elegante

Q166: atento

....

Q167: feliz

....

Q168: claro

....

Q169: seguro

....

Q170: probable

....

Q171: triste

....

Q172: fácil

....

Dos adverbios juntos

When two adverbs are used together the first adjective is put into the feminine and the suffix -*mente* is only added to the second adjective.

Go online

quickly   quietly

∨   ∨

rápidamente   tranquilamente

but

quickly and quietly

∨

rápida y tranquilamente

Form these adverbial phrases:

Q173: slowly and carefully

....

Q174: politically and economically

....

Q175: totally and absolutely

....

Frases adverbiales formadas con 'con + sustantivo'

Change these adverbs into adverbial phrases using **con** followed by a **noun**.

Go online

Q176: tristemente

....

Q177: claramente

....

Q178: frecuentemente

....

Q179: cariñosamente

....

Q180: sinceramente

....

Q181: locamente

....

Q182: atentamente

....

Q183: tranquilamente

....

Q184: discretamente

....

Q185: orgullosamente

....

Go online

Frases adverbiales

Q186:

What do the adverbial expressions mean? Match up the Spanish and the English.

Muddled expressions

a pasos agigantados	already
especialmente	besides
diariamente	by leaps and bounds
ya	completely
posiblemente	day by day
fielmente	even so
de una manera rápida y sencilla	faithfully
además	in the short term
seguramente	never
aun así	possible
difícilmente	quickly and simply
a corto plazo	specially
nunca	surely, certainly
del todo	with difficulty, hardly

1.20 Números ordinales

Idioms involving ordinal numbers

There are some interesting idioms and expressions using ordinal numbers.

a primera hora de la mañana	first thing in the morning
a la tercera va la vencida	third time lucky
la tercera edad	senior citizens
Miguel es muy desagradable y su hermano, tres cuartos de lo mismo.	Miguel is very unpleasant, and his brother is no different.
vivir en el quinto pino	to live at the back of beyond
un décimo de lotería	a lottery ticket giving a tenth share in a number entered in the Spanish lottery.

Indirect Speech

To report what a person says, the tense required is often different from the tense used if we merely quote the person, using direct speech.

The Future Tense often becomes the Conditional Tense.

"Robots **will form** part of daily life".	⇒	"Los robots **formarán** parte de la vida cotidiana".
He said that robots **would form** part of daily life.	⇒	**Dijo que** los robots **formarían** parte de la vida cotidiana.

Go online

Números ordinales

Ordinal numbers (1st, 2^{nd,} 3rd etc.) are adjectives and agree with the noun they qualify

> La primera planta - the first floor
> El rey Felipe segundo - King Philip the second

In Spanish ordinals numbers are usually only used up to 10. After that cardinal numbers are used, normally after the noun.

> en el siglo veinte - in the twentieth century
> King Alfonso the 13th- el rey Alfonso trece

Unlike in English ordinal numbers are not used with dates except occasionally for the first of the month.

> el quince de febrero - on the 15th February
> el uno / primero de mayo - the 1st of May

¡Ojo! 9/11 is referred to by Spaniards as **el 11- S** (pronounced el once ese) and the date that the bombings occurred in Atocha station, Madrid, causing many fatalities, is referred to as **el 11-M** (pronounced el once eme).

Q187: Complete the table with the appropriate ordinal numbers, using the article each time.
E.g. 2 hombre ⇒ el segundo hombre

1	vez	
2	calle	
3	mundo	
4	dimensión	
5	piso	
6	ejemplar	
7	parte	
8	edición	
9	informe	
10	ley	

. . . .

1.21 Preposiciones

Preposiciones

Fill in the gaps using the prepositions given below.

Go online

Q188:

El correo electrónico cumple ya cuarenta años. Comenzó ...... un experimento ......
1971 ...... un mensaje enviado ...... Ray Tomlinson, un ingeniero estadounidense.
...... entonces se ha convertido ...... la principal herramienta ...... la globalización
y ahora está presente ...... millones ...... hogares. Ni las más altas autoridades se
resisten ...... utilizarlo. ...... el Papa de Roma ...... los Reyes Magos, todos han
acabado enviando y recibiendo emails.

desde	a	en
con	para	como
en	desde	hasta
por	de	en

....

1.22 Por y para

The little words **por** and **para** always seem to cause problems. If necessary, revise the
use of these words by consulting the Gramática guide on Por and Para.

Por o para

Q189:

Choose the correct word to complete these sentences.

Go online

1	Lo ideal es dividir las basuras caseras en tres bolsas: una *por / para* envases, otra *por / para* vidrio.
2	Si se separan los desechos, se consiguen varias cosas. *Por / para* un lado, que los envases puedan ser reutilizados después de ser reciclados.
3	La basura orgánica se puede reutilizar *por / para* hacer abono.
4	Las emisiones de productos contaminantes que fluyen *por / para* el aire provocan graves mutaciones en la secuencia del ADN.
5	El efecto invernadero provocado *por / para* el aumento del gas contaminante llevará a la Tierra a una situación atmosférica parecida a la de Venus.
6	El clima actual cambiará en los próximos años a una velocidad mayor *por / para* el efecto de la acción del hombre.
7	El ahorro energético es una opción necesaria *por / para* el futuro.
8	Durante siglos los molinos de viento han sido utilizados *por / para* sacar agua o moler granos.
9	En la actualidad, consumimos energías fósiles 100.000 veces más rápido que su velocidad de formación, *por / para* lo que se verán agotadas en un plazo más o menos largo.
10	El lince es una especie que se encuentra *por / para* todo el mundo.
11	La energía solar es muchas veces usada *por / para* encender calculadoras y otros accesorios electrónicos.
12	La bioenergía se produce al quemar biomasa, materia orgánica como madera o plantas. *Por / para* ejemplo, se puede comprimir paja y restos de madera.
13	Los residuos son altamente radioactivos y habrá que esperar miles de años *por / para* que pierdan su radioactividad.
14	Algunos linces han sido arrollados *por / para* coches en la zona donde viven.
15	Muchos animales ya han desaparecido *por / para* completo.
16	Es mejor utilizar detergentes biodegradables y sin fosfatos. Son menos perjudiciales *por / para* el medio ambiente.

....

Idioms with por

Can you remember the meanings of these idioms with the word **por**? Most of them should be familiar to you.

Write down the English equivalents.

Q190: por lo menos

....

Q191: por casualidad

....

Q192: por fin

....

Q193: por supuesto

....

Q194: por mí

. . . .

Q195: por desgracia

. . . .

Q196: por eso

. . . .

Q197: por si acaso

. . . .

Q198: por lo tanto

. . . .

Q199: por favor

. . . .

Q200: por aquí

. . . .

Q201: por consecuencia

. . . .

Q202: por regla general

. . . .

Q203: por mi parte

. . . .

Q204: por todas partes

. . . .

Q205: como por arte de magia

. . . .

Q206: por primera vez

. . . .

Q207: por fortuna

. . . .

. . . .

Go online

Por mucho que, por poco que, por más que

Look at these three sentences containing the word **por**.

Por mucho que insistas, no me vas a convencer.

Por poco que consigan, por lo menos habrán hecho algo.

Por más que gastemos, no encontraremos la solución.

Q208:

Can you see what they mean in English?

. . . .

You will see that to say "however much" "or "however little" you need to use the subjunctive.

The expressions you need to remember are:

por mucho que / por más que however much
por poco que however little

Q209:

Match the Spanish with the English expressions.

Muddled expressions

however much you complain	por poco que quiera
however little I want to	por poco que te guste
however hard we work	por mucho que ganen
however much they earn	por poco que hagamos
however little we do	por mucho que te quejes
however much she tries	por más que trabajemos
however little it pleases you	por mucho que se esfuerce

. . . .

Por . . . que with other adjectives

You use a similar construction with other adjectives as well. Look at these examples.

Q210:

Por muy difícil que sea, tendremos que hacerlo.

Ningún país, por rico que sea puede darse el lujo de desperdiciar sus recursos humanos."

Can you work out what these examples mean in English?

. . . .

> So, **por** or **por muy** + an adjective means **however** + that adjective.

Q211: Match the two halves of the sentences.

Por absurdo que parezca,	cada especie es una obra maestra de la biología.
Por muy caro que resulte al principio,	no confíes en ellos.
Por muy rápido que conduzcas,	siempre debe ser humilde.
Por inteligente que sea una persona,	no vas a llegar a tiempo.
Por insignificante que sea,	es, sin duda, la mejor inversión a largo plazo.
Por muy simpáticos que te caigan,	es la pura verdad.

....

Por

How would you translate the following sentences?

Q212: However much we earn, we will never be satisfied.

....

Q213: However much you offer me, I will not sell it.

....

Q214: However well he speaks, he is not going to persuade us.

....

Q215: However easy it seems, you have to take care.

....

Q216: However much they want to go, they will not be able to.

....

Q217: However little she studies, she is going to get good marks.

....

El Protocolo de Kioto

*How much do you know about the Kyoto Protocol? Read all about it in this passage, replacing the gaps with **por** or **para** as you do so.*

Go online

Q218:

El Protocolo de Kioto

Después de años de retraso, el plan mundial ...... luchar contra el calentamiento global entró en vigor el 16 de febrero de 2005. El Protocolo de Kioto fue ratificado ...... 150 países en la ciudad japonesa donde se firmó el pacto en 1997. Este acuerdo internacional fue festejado ...... sus partidarios como un salvavidas ...... el planeta pero fue rechazado por Estados Unidos y Australia ...... suponer una limitación para la economía.

De acuerdo con el protocolo, ... el año 2012, los países desarrollados deberán recortar sus emisiones de gases de efecto invernadero en un 5,2% ...... debajo de los niveles registrados en 1990. La Unión Europea asumió la obligación de reducir dichas emisiones en un 8% respecto al año base.

Los compromisos asumidos ...... cada Estado Miembro varían. En el caso de España, ... ejemplo, suponen la obligación de no superar en más del 15% el nivel de emisiones de 1990. El problema ...... España radica en que, hasta la fecha, estas emisiones han aumentado en un 53%, lo que complica en gran medida el cumplimiento del protocolo de Kioto. España no tomó medidas ...... cumplir el protocolo de Kioto hasta 2004, ... lo que está en una situación difícil.

Los países defensores del pacto dicen que el Protocolo es un primer paso ...... intentar limitar la agresión del calentamiento global y están estudiando nuevas fórmulas ...... que Estados Unidos y otros países muy contaminantes firmen el acuerdo y reduzcan sus emisiones.

....

1.23   Futuro perfecto

Explanation and Formation

Follow the next section to learn about the Future Perfect Tense in Spanish.

Q219:

Se dice que para el año 2100 las temperaturas habrán subido entre 1,4°C y 5,8°C.
Can you work out what this sentence means?

....

The tense used in this sentence is called the Future Perfect.
As its name suggests it is made up with a combination of Future and Perfect tenses.

All you need is the Future Tense of the verb **haber** and the Past Participle.

habré llegado	habremos llegado
habrás llegado	habréis llegado
habrá llegado	habrán llegado

The Future Perfect in Spanish is used in the same way as in English, to convey an action that **will have been done** in the future.

*Dentro de poco **habrás terminado** esta unidad de trabajo.*
Soon you **will have finished** this unit of work.

*Para el año 2100 **habremos gastado** todos los recursos.*
By the year 2100 **we will have used up** all the resources.

The Future Perfect can also express probability or conjecture about something that will have already happened.

*¿Quién **habrá ganado** las elecciones?*
I wonder **who will have** won the election.

*Son las 9. El tren **ya habrá salido**.*
It's 9 o'clock. The train **must have left** already.

El futuro perfecto

Fill in the gaps using a verb in the Future Perfect Tense from the Infinitives in brackets. Do not include any pronouns indicated in your answer.

Go online

Q220: Si seguimos así para el año 2500 . . . . el planeta (nosotros, destruir)

. . . .

Q221: Una manzana de origen chileno . . . . que viajar más de 10.000 kilómetros para llegar a España. (tener)

. . . .

Q222: Dentro de poco los médicos . . . . curas para enfermedades como el SIDA y el cáncer. (encontrar)

. . . .

Q223: Sin duda el Gobierno . . . . medidas preventivas para evitar otra crisis financiera. (tomar)

. . . .

Q224: Antes de que finalice este año todos los Estados Miembros . . . . el contrato. (firmar)

. . . .

Q225: ¿Cuánta basura . . . . esta semana? (vosotros, generar)

. . . .

Q226: Los científicos que estudian el calentamiento global aseguran que para el año 2100 el continente blanco . . . . casi en su totalidad. (derretirse)

. . . .

Q227: Can you identify six adverbial time phrases from these sentences that signal the use of the Future Perfect tense?

They are shown in bold in the Display answer.

. . . .

. . . .

Futuro

Now translate the sentences you have formed into English. Compare your answers with the display answers.

Q228: Si seguimos así para el año 2500 habremos destruido el planeta.

....

Q229: Una manzana de origen chileno habrá tenido que viajar más de 10.000 kilómetros para llegar a España.

....

Q230: Dentro de poco los médicos habrán encontrado curas para enfermedades como el SIDA y el cáncer.

....

Q231: Sin duda el Gobierno habrá tomado medidas preventivas para evitar otra crisis financiera.

....

Q232: Antes de que finalice este año todos los Estados Miembros habrán firmado el contrato.

....

Q233: ¿Cuánta basura habréis generado esta semana?

....

Q234: Los científicos que estudian el calentamiento global aseguran que para el año 2100 el continente blanco se habrá derretido casi en su totalidad.

....

Q235: Alertan que en menos de cien años Groenlandia y la Antártida habrán desaparecido de la faz de la Tierra.

....

Q236: Más vale prevenir que curar. ¡No sé cuántas veces habré dicho eso!

....

Q237: El día en que consigamos reducir nuestro gasto energético, sin duda habremos hecho grandes progresos.

....

Escribir con futuro perfecto

Using the Future Perfect tense, write 10 sentences to describe what will have happened to the world in 100 years time. Write 5 sentences from an optimistic point of view, and 5 from a pessimistic point of view.

Según el optimista. . .
Según el pesimista . . .

Then write a few sentences describing how you see yourself in 10 years time. This time use the Future and Future Perfect tenses.

¿Qué piensas que estarás haciendo en diez años? ¿Habrás terminado tus estudios? ¿Habrás encontrado tu empleo ideal? ¿Te habrás casado? ¿Habrás visitado muchos países interesantes?

....

1.24 Discurso indirecto

To report what a person says, the tense required is often different from the tense used if we merely quote the person, using direct speech.

The Future Tense often becomes the Conditional Tense.

"Robots **will form** part of daily life".	⇒	"Los robots **formarán** parte de la vida cotidiana".
He said that robots **would form** part of daily life.	⇒	**Dijo que** los robots **formarían** parte de la vida cotidiana.

Los ejemplos de discurso indirecto

Fill in the gaps with the appropriate parts of the Preterite and Conditional tenses of the Infinitives provided.

Q238: La investigación ...... que los robots ...... tan necesarios como los teléfonos móviles. (señalar, ser)

....

Q239: Los expertos ...... que los robots ...... la capacidad de ver, actuar y hablar. (decir, tener)

....

Q240: Antonio López Peláez ...... que implantes inteligentes en el cerebro ...... nuestro razonamiento. (indicar, mejorar)

....

Q241: El profesor de Sociología ...... que la aparición de soldados-robot ...... menos muertes. (mantener, significar)

....

1.25 Orden de las palabras y la inversión

Spanish word order is not as rigid as English word order.

In Spanish, the verb and subject are often inverted, that is, the subject appears after the verb, where you would normally expect it to appear before it. This happens especially if it is a long subject made up of several words.

Orden de las palabras y la inversión

In each of the sentences below, identify the inverted subject of the sentence (or clause) and the verb. Some of the sentences contain more than one example of inversion.

In the Display answer the *subject is italic*, the **verb in bold**.

Q242: Hace sesenta años comenzaron a comercializarse los primeros modelos de ordenadores.

....

Q243: En el perfil de los usuarios de la Red destacan los hombres y jóvenes mientras que entre los no usuarios sobresalen las mujeres.

....

Q244: Por lugar de acceso, son mayoría quienes usan Internet desde el hogar.

....

Q245: El estudio también habla de las repercusiones que implicará la integración de los robots en la sociedad.

....

Q246: Concienciar a los mayores de las ventajas que puede ofrecerles la tecnología puede ser un primer paso.

....

Q247: Durante el verano se han paralizado decenas de edificios de viviendas en construcción en la provincia. Es un ejemplo más del grave deterioro que sufre el mercado inmobiliario.

....

Traducción

Now attempt a Traducción of the sentences from the previous activity. You will probably find that, to achieve a good Traducción, you might have to alter the word order and change the wording quite a bit. Don't be afraid to, but it is important not to alter the meaning in Spanish. Write out your Traduccións and then show them to your teacher or compare them with the display answer.

Q248: Hace sesenta años comenzaron a comercializarse los primeros ordenadores.

....

Q249: En el perfil de los usuarios de la Red destacan los hombres y jóvenes mientras que entre los no usuarios sobresalen las mujeres.

....

Q250: Por lugar de acceso, son mayoría quienes usan Internet desde el hogar.

....

Q251: El estudio también habla de las repercusiones que implicará la integración de los robots en la sociedad.

....

Q252: Concienciar a los mayores de las ventajas que puede ofrecerles la tecnología puede ser un primer paso.

....

Q253: Durante el verano se han paralizado decenas de edificios de viviendas en construcción en la provincia. Es un ejemplo más del grave deterioro que sufre el mercado inmobiliario.

....

1.26   Orden de las palabras

Word order and Inversion

Spanish word order is not as rigid as English word order. In English, the normal word order is subject + verb + object - unless, of course, you are writing poetry!

In Spanish, however, the verb and subject are often inverted, especially if it is a long subject made up of several words.

Sujetos invertidas

Identify the inverted subject in each of these sentences. Then try to translate the sentences into English, bearing in mind that the word order will be different.

Go online

Q254:

1. Muchas veces surge la necesidad de tomar una decisión muy difícil.
2. El 24 de marzo de 2007 entró en vigor en España la Ley de Igualdad.
3. Juan Soriano y Javier Sestián son los dos primeros padres que se acogieron a las dos semanas que les concede el permiso de paternidad.
4. No hay que olvidar los malos tratos que sufren algunas mujeres a manos de sus parejas.
5. Nos dicen los expertos que el envejecimiento de la población tendrá impactos sociales, económicos y sanitarios.
6. Se habla del envejecimiento de la población como uno de los grandes retos que tendrá que afrontar Europa en los próximos años

....

> N.B. If you are having difficulty understanding a complex sentence, it may be that the subject and verb have been inverted. Change the word order around a bit, and it might begin to make sense. Always be aware of this possibility when you are reading texts in Spanish!

....

Topic 2

Grammar: Learning

Contents

2.1	El subjuntivo	60
2.2	Sí utilizado para el énfasis	65
2.3	Discurso directo e indirecto	67
2.4	La voz pasiva	71
2.5	Pedir v preguntar	73
2.6	Llevar y Presente Participio	75

2.1   El subjuntivo

Use of the subjunctive after verbs of uncertainty or doubt

The subjunctive mood is used after verbs of thinking and knowing when they are used in the negative. When these same verbs are used in the positive they are followed by a verb in the indicative mood.

*Creo que la inmigración **es** un fenómeno positivo.*

*No creo que la inmigración **sea** un fenómeno positivo.*

Here are some other similar verbs which require the use of the subjunctive.

Go online

El subjuntivo

Q1:

Match the Spanish expression with its equivalent in English.

Muddled expressions

No es verdad que	It doesn't mean that
No digo que	It doesn't imply that
No pienso que	It's not that
No estoy convencido de que	I'm not saying that
No significa que	I deny that
No implica que	It doesn't seem that
No es que	It is not true that
No parece que	I doubt that
Dudo que	I'm not convinced that
Niego que	I don't think that

. . . .

> **Top tip**
>
> ¡Ojo! The expressions **no cabe duda de que** and **es innegable que** will be followed by the indicative as they indicate certainty not doubt.

. . . .

Go online

Subjuntivo o indicativo

Choose the subjunctive or the indicative as appropriate.

Q2:   No digo que robar _____ bueno, pero a veces no hay otra solución si quieres sobrevivir.

a) es
b) sea

. . . .

Q3: No creo que se _____ limitar el ingreso de otras nacionalidades.

a) debe
b) deba

....

Q4: Es verdad que España _____ siempre un país de emigrantes.

a) ha sido
b) haya sido

....

Q5: Es innegable que el racismo _____ todavía en muchas partes del mundo.

a) existe
b) exista

....

Q6: El aumento de inmigrantes no implica que _____ más delincuencia.

a) hay
b) haya

....

Q7: Me parece que la llegada de inmigrantes _____ la cultura de un país.

a) enriquece
b) enriquezca

....

Q8: Pienso que la mezcla de culturas _____ más beneficios que inconvenientes.

a) trae
b) traiga

....

Q9: No es que los inmigrantes _____ el trabajo a los nativos.

a) quitan
b) quiten

....

Q10: No cabe duda de que los niños _____ a convivir mejor que los mayores.

a) han aprendido
b) hayan aprendido

....

Q11: Estoy convencido de que los valores de respeto y de equidad _____ más
que nunca necesarios en un mundo más diverso e interconectado.

a) son
b) sean

. . . .

Q12: Niego que los españoles _____ tener preferencia a la hora de elegir el colegio al que llevan a sus hijos.

a) deben
b) deban

. . . .

Q13: Creo que si trabajan y pagan sus impuestos como los demás, los inmigrantes _____ derecho al voto.

a) tienen
b) tengan

. . . .

Go online

El uso del subjuntivo después de verbos de emoción

The Subjunctive is used after verbs expressing emotions.

Match up the Spanish verbs with their meanings in English.

Q14: *Muddled expressions:*

Me enfada que	I'm afraid that
Me irrita que	It annoys me that
Me entristece que	it's a disgrace that
Me molesta que	I fear that
Me sorprende que	It doesn't surprise me that
Me alegro de que	I'm glad that
Lamento que	It makes me angry that
Siento que	I find it irritating that
Me temo que	I find it sad that
No me extraña que	it is a pity that
Tengo miedo de que	I regret that
Es raro que	I'm sorry that
Es una vergüenza que	It doesn't surprise me that
Es increíble que	It surprises me that
Es una lástima que	it's unbelievable that

. . . .

> **Top tip**
>
> ¡Ojo! These expressions can of course be used with any person of the verb, not just the 1st person.

....

Practica con subjuntivo y verbos de emoción

Put the infinitive in bold into the correct form of the present subjunctive.

Go online

Q15:

1	Es increíble que estos jóvenes ...... viajes suicidas para buscar un futuro mejor en Europa. **realizar**
2	Es una lástima que tantos cayucos llenos de inmigrantes ...... antes de llegar a Canarias. **hundirse**
3	Me sorprende que aún ...... gente que piensa que la cultura española se ve amenazada por la llegada de inmigrantes. **haber**
4	Me alegro de que los hijos de inmigrantes nacidos en España ...... cada vez más integrados. **estar**
5	En nuestra organización lamentamos que no ...... hacer más por los niños inmigrantes. **poder**
6	No me extraña que a los extranjeros les ...... aprender el uso del subjuntivo, ¡es bastante complicado! **costar**

....

Practica con subjuntivo con todos los tiempos

Once again, change the Infinitives into the Subjunctive, but this time it will not necessarily be the Present Subjunctive. If you are unsure about which tense to use, consult the section on Sequence of Tenses in the Grammar Guide.

Go online

Q16:

1	Fue una lástima que Naim no ...... caso a las advertencias de su padre. (**hacer**)
2	Naim tuvo suerte de que la mujer del barco ...... pagarle el billete a Barcelona. (**querer**)
3	Naim no se despidió de su padre porque tenía miedo de que le ...... irse a España. (**impedir**)
4	Con las malas condiciones del mar, no nos parecía posible que todos los inmigrantes que venían en la patera ...... llegar vivos a la costa. (**poder**)
5	Si Naim ...... lo que le esperaba en España, no se habría ido de su país. (**saber**)
6	Muchos chicos como Naim no creen que las dificultades de las que hablan sus padres ...... verdad. (**ser**)

....

Go online

El uso del subjuntivo después de palabras como cuando

The Subjunctive has to be used after time conjunctions such as **cuando** when future time is implied.

*Llámame cuando **recibas** este email.*
Call me when you get this email.

*El Ayuntamiento actualizará la lista cuando **tenga** la información necesaria.*
The council will update the list when it has the necessary information.

The Subjunctive is not used after words like cuando unless future time is implied.

*Me llamó cuando **recibió** el email.*
He called me when he got the email.

*El Ayuntamiento actualiza la lista cuando **tiene** la información necesaria.*
The council updates the list when it has the necessary information.

Other time conjunctions which require the use of the subjunctive are:

hasta que	until
tan pronto como	as soon as
en cuanto	as soon as
después de que	after
antes de que	before
mientras	as long as
una vez que	once

Provide the Present Subjunctive of the Infinitive in bold.

Q17:

1	Cuando ...... a Europa todos esperan encontrar un empleo digno. **llegar**
2	Tengo que hacer la reserva antes de que se me .... **olvidar**
3	En cuanto ...... encontrar un trabajo cotizarán a la seguridad social. **conseguir**
4	Mientras los jóvenes ...... en el centro de acogida, se les garantiza el acceso a la educación. **estar**
5	Una vez que se les ...... la tarjeta comunitaria podrán regularizar su situación. **conceder**
6	Seguirá habiendo problemas hasta que todos ...... a ser más tolerantes. **aprender, nosotros**
7	Tan pronto como la Guardia Civil ...... la patera, los inmigrantes serán trasladados a Puerto América. **localizar**
8	Haremos una investigación después de que las autoridades ...... su informe. **presentar**

. . . .

Indicativo o subjuntivo

This time you have to decide whether the indicative or subjunctive of the verb is required and which tense it should be in.

Go online

Q18: Provide the correct tense (Indicative or Subjunctive) of the Infinitives in bold.

1	Mientras ...... de vacaciones en Tenerife vimos numerosas embarcaciones llenas de personas enfermas y deshidratadas que habían llegado de África occidental. **estar**
2	Hasta que te ...... en español tendrás dificultades para integrarte. **defender**
3	Cuando ...... a Nouadhibou (Mauritania) nuestro contacto en la red mafiosa nos llevó a un apartamento. **llegar**
4	Una vez que ...... el número de inmigrantes que llega a Europa, será más fácil que todos tengan un trabajo digno. **controlar**
5	Tan pronto como Europa ...... invertir recursos en los países africanos, la gente no se verá obligada a emigrar. **decidir**
6	No cambiará nada hasta que ...... los esfuerzos para una reforma. **empezar**
7	En cuanto ...... al barco, el capitán apagó las luces. **subir**

....

2.2 Sí utilizado para el énfasis

Sí used for emphasis

No he podido deshabituarme por completo pero sí he reducido el número de cigarrillos que fumo.

Q19: How would you translate this sentence? First of all try a literal translation to see what it sounds like.

....

The meaning is clear but the English version is obviously not quite right. Why? The word **sí** is causing the problem - the English word **yes** sounds out of place.

Q20: Can you come up with a more idiomatic translation?

....

In English we are able to stress a particular word in a sentence to emphasize it, but in Spanish this is not possible, so the word **sí** is inserted instead to provide the emphasis. Often part of the verb "to do" is required in the translation or sometimes a word like "certainly" or "definitely" can be added for further emphasis.

Quizás no prestan atención a las noticias pero sí saben lo que pasa.
Perhaps they don't pay attention to the news but they **do** know what is happening.

> *Muchos de nosotros tal vez no podamos votar pero sí tenemos el derecho de ser escuchados.*
> Many of us may not be able to vote but we certainly **do** have the right to be heard.

Traducción: Sí utilizado para el énfasis

Now translate these sentences into good English. Use bold for any word you wish to emphasize. Suggested answers are provided.

Q21: Mi madre no fuma pero mi padre sí.

....

Q22: Quizás no haya mucha gente pero el presidente sí que vendrá.

....

Q23: Ésta no es una ley que prohíba el cigarrillo, pero sí va a dificultar el fumar.

....

Q24: El cambio climático ya no se puede detener, pero sí se puede influir sobre sus consecuencias.

....

Q25: No soy católica pero sí creo en Dios.

....

Q26: Hemos notado que tenemos más clientes, no algo muy desbordante pero sí se ha notado un incremento de pasajeros.

....

Q27: Ella nunca le teme a nada, pero esta vez sí lloró.

....

Q28: Nunca se podrá acabar del todo con los accidentes, por desgracia, pero sí se puede conseguir una circulación más segura.

....

Go online

Los modismos con la palabra sí

Here are some further idioms containing the word sí. Can you match up the Spanish and English expressions?

Q29: *Muddled words*

¡claro que sí!	every other day
¡a que sí!	not on your life!
un día sí y otro no	of course!
¡eso sí que es!	I bet it is!
¡claro que no!	of course not!
¡eso sí que no!	yes, that's it!

....

2.3   Discurso directo e indirecto

There are two different ways to express the words of another person: by **Direct** speech and by **Indirect** or **Reported** speech.

In **Direct** speech the speaker's words are presented as a quote:

José Miguel continúa: "Sigue siendo imposible salir de copas por la noche sin volver a casa apestando a tabaco"

"Yo fumo desde que era adolescente, unos 15 pitillos al día y ahora mismo estoy fatal", dice Victoria

¡Ojo! Spanish punctuation is different from English punctuation. The sentences above are more likely to appear like this.

José Miguel continúa, -sigue siendo imposible salir de copas por la noche sin volver a casa apestando a tabaco-.

-Yo fumo desde que era adolescente, unos 15 pitillos al día y ahora mismo estoy fatal-, dice Victoria.

In **Indirect** or **Reported** speech the speaker's words are reported by means of a subordinate clause introduced by **que**. If the verb is **preguntar** the speaker's words can be introduced by **si** or an interrogative with an accent e.g. **dónde, quién**

El presidente afirma que se tomarán medidas drásticas.

Un portavoz de los guardacostas dijo que treinta personas habían fallecido en la catástrofe.

Changes necessary in Indirect Speech

Changing **Direct** to **Indirect** or **Reported** speech requires some thought as a variety of changes may be necessary. Follow the animation to see what elements may have to change.

Pronouns may need to be changed. Look at these two examples:

My mother often says "**I love** *you*"

My mother often says that **she loves** *me*.

Mi madre dice a menudo "Yo te quiero mucho".

Mi madre dice a menudo que me quiere mucho.

Possessive adjectives may need to be changed. Look at these two examples.

My mother always asks "Where are **my** keys?"

My mother always asks where **her** keys are.

Mi madre siempre pregunta "¿Dónde están mis llaves?"

Mi madre siempre pregunta dónde están sus llaves.

Verbs may need to change both person and tense.

My father says "**I'm** tired"

My father says *that* **he is** tired.

Mi padre dice "Estoy cansado"

Mi padre dice que está cansado.

My father said "**I'm** tired"

My father said *that* **he was** tired.

Mi padre dijo "Estoy cansado"

Mi padre dijo que estaba cansado

These tense changes mostly occur when the reporting verb is in the past tense. The most likely changes are as follows:

Direct	Indirect
Present He said "I'm going" *Dijo "Me voy"*	**Imperfect** He said that he was going *Dijo que se iba*
Perfect He said "I've gone" *Dijo "He ido"*	**Pluperfect** He said that he had gone *Dijo que había ido*
Preterite He said "I went" *Dijo "Fui"*	**Pluperfect** He said that he had gone *Dijo que había ido*
Future He said "I will go" *Dijo "Iré"*	**Conditional** He said that he would go *Dijo que iría*
Future Perfect He said "I will have gone" *Dijo "Habré ido"*	**Conditional Perfect** He said that he would have gone *Dijo que habría ido*

Some other elements may have to change.

How many of these expressions can you provide? Write your answers. Reveal answer will show any you can't remember.

Ejercicio: Discurso directo e indirecto

Direct Speech

Q30: tomorrow

....

Q31: yesterday

....

Q32: next week

....

Q33: this morning

....

Q34: last year

....

Q35: last night

....

Q36: two days ago

....

Q37: here

....

Q38: this

....

Indirect Speech

Q39: the next day

....

Q40: the day before

....

Q41: the following week

....

Q42: that morning

....

Q43: the year before

....

Q44: the night before

....

Go online

Q45: two days previously

....

Q46: there

....

Q47: that

....

Q48: that

....

....

Ejercicio: Cambiar de discurso directo a indirecto

Now put it all into practice! Change the following sentences from **direct** to **indirect** speech. The beginning of each sentence is provided for you.

Go online

Q49: "Yo fumo desde que era adolescente y ahora estoy fatal", dice Victoria.
Victoria dijo que . . .

....

Q50: José Miguel dice "Sigue siendo imposible salir de copas por la noche sin volver a casa apestando a tabaco".
José Miguel dijo que . . .

....

Q51: "Es la primera vez que se nota este descenso. Siempre he sostenido que el factor de atracción más importante es la posibilidad de trabajar", afirma Rumí.
Rumí afirmó que . . .

....

Q52: Finalmente la Ministra ha anunciado "Antes de mayo se abrirá un nuevo centro de acogida de 120 plazas en Vicálvaro".
Finalmente la Ministra anunció que . . .

....

Q53: Mahjoub nos dice "Aquí he conocido a la mujer de mi vida con quien he tenido un hijo. Juntos intentamos construir un futuro mejor".
Mahjoub nos dijo que . . .

....

Q54: Jorge nos explica "Pasaré el resto de mi vida allí a menos que mis hijos me den una sorpresa al crecer".
Jorge nos explicó que . . .

....

Q55: Ángel añade "Con lo que he ganado estos años, he podido comprar un terreno que dentro de poco comenzaré a edificar como hogar para los míos".
Ángel añadió que . . .

....

Q56: Neil nos asegura "Lo que más me gusta de España era el carácter abierto y amable de la gente. Nunca he tenido problemas por mi condición de inmigrante".
Neil nos aseguró que . . .

....

2.4 La voz pasiva

Avoiding the Passive

Active sentences are sentences in which the subject is the performer of the verb.

The developer sold the houses.
El promotor inmobiliario vendió las casas.

Passive sentences are sentences in which the subject is the receiver of the verb.

The houses were sold by the developer.
Las casas fueron vendidas por el promotor inmobiliario.

As you can see the passive in Spanish is formed by using the verb **Ser** plus the **Past Participle**, which agrees in gender and number with the subject of the sentence. The agent is preceded by the pronoun **por**.

The passive does occur in Spanish but Spaniards tend to avoid using it. One way of doing this is by using the word order of the passive sentence but the verb from the active sentence, and putting in an extra pronoun. The direct object comes first and is duplicated as a pronoun before the verb. This may sound really complicated but watch the animation and you will soon see how it is done!

Here is the passive sentence - which shows the word order:
Las casas fueron vendidas por el promotor inmobiliario.

Here is the active sentence - which gives you the verb:
El promotor inmobiliario vendió las casas.

Here is how the passive is sometimes avoided:
El promotor inmobiliario vendió las casas.

Las casas (the object) comes first,

the verb **vendió** comes next,

the subject **el promotor inmobiliario** comes last,

and a pronoun **las** (standing for **las casas**) is inserted before the verb.

Las casas las vendió el promotor inmobiliario.
The houses were sold by the developer.

What you end up with is an active sentence in which the word order is the same as the passive sentence.

Look at the same thing happening with another example.

Here is the passive sentence - which shows the word order:
La manifestación fue convocada por miles de jóvenes sin techo.

Here is the active sentence - which gives you the verb:
Miles de jóvenes sin techo convocaron la manifestación.

Here is how the passive is sometimes avoided:
Miles de jóvenes sin techo convocaron la manifestación.

la manifestación (the object) comes first;

the verb **convocaron** comes next;

the subject **miles de jóvenes sin techo** comes last;

and a pronoun **la** (standing for **la manifestación**) is inserted before the verb.

La manifestación la convocaron miles de jóvenes sin techo.

Ejercicio: Cambiar de activa a pasiva

Now try to convert these active sentences into passive sentences and then into sentences avoiding the passive as explained in the previous activity. Take care with the tense of the verb. Check your answers with the display answer.

Q57:
Active: Pablo Picasso pintó el cuadro durante la Guerra Civil.
. . . .

Q58:
Active: El País publicará el artículo la semana que viene.
. . . .

Q59:
Active: Mis abuelos construyeron nuestra casa hace 50 años.
. . . .

Q60:
Active: Los Reyes han inaugurado la exposición en El Prado.

....

Q61:
Active: El Gobierno aprobó las nuevas leyes ayer.

....

Q62:
Active: Agentes de la policía detuvieron a los manifestantes que causaron incidentes.

....

Traducción

You are quite likely to come across this way of avoiding the passive in reading texts.
Practice translating these examples using the passive in English.

Q63: El término *mileuristas* lo acuñó Carolina en una carta que escribió a El País.

....

Q64: La ley antitabaco la apoyaron la mayoría de los partidos políticos.

....

Q65: A los inmigrantes que llegan en pateras los acoge Cruz Roja.

....

Q66: El carné por puntos lo implantaron hace más de un año.

....

Q67: La asignatura de Educación para la Ciudadanía la rechazan muchas personas.

....

2.5   Pedir v preguntar

The two verbs **preguntar** and **pedir** mean the same thing in English.

They both mean "to ask" but their usage is quite different.

Preguntar means to ask a question, or ask for information.

Pedir means to ask **for** an object or service, or to order something for example in a
restaurant.

> El policía le **preguntó** cómo se llamaba y cuántos años tenía.
> El policía le **pidió** su documento de identidad.

Ejercicio: Pedir v preguntar

Choose the correct verbs to complete the sentence.

Go online

Q68: En el banco me trataron bien, pero me ...... lo mismo que a todos: una nómina alta y ahorros.

a) preguntaron
b) pidieron

....

Q69: Mi familia ...... a amigos y familiares algún dinero prestado.

a) preguntó
b) pidió

....

Q70: Todos los españoles nos ...... para qué sirve el Ministerio de Vivienda ya que el precio de la vivienda sigue subiendo.

a) preguntamos
b) pedimos

....

Q71: El PP va a ...... al presidente que intervenga para poner en marcha soluciones a algunos de los problemas más graves.

a) preguntar
b) pedir

....

Q72: A mí no me lo ...... porque no te lo puedo decir.

a) preguntes
b) pidas

....

Q73: Si no es mucho ......, ¿cuántos años tiene?

a) preguntar
b) pedir

....

Q74: ...... al profesor que te explique la diferencia entre los verbos.

a) Pregúntale
b) Pídele

....

Q75: Los jóvenes no pueden dar el primer paso para obtener un piso porque los constructores ...... demasiado por una vivienda de solo un dormitorio.

a) preguntan
b) piden

....

Q76: Yo le ...... al camarero qué vinos tenían y luego ...... una botella de Marqués de Riscal.

a) pregunté *then* pregunté
b) pregunté *then* pedí
c) pedí *then* pregunté
d) pedí *then* pedí

....

2.6 Llevar y Presente Participio

You will be familiar with the constructions **"desde hace"** and **"hace ... que"**, used to express how long an action has been going on, how long you have been doing something for.

Yo fumo desde hace treinta años.
Hace treinta años que fumo.

Another very idiomatic way to express this is by using the verb **llevar** along with the Present Participle of the verb. Look at these two examples.

Llevo más de treinta años fumando.
Llevo casi dos meses viviendo en el nuevo continente.

I've smoked for over thirty years.
I've been living in South America for almost two months.

To express how long you **had** been doing something in the past (when something happened) all you do is use the Imperfect Tense of **llevar** along with the Present Participle.

Mi abuelo llevaba más de cuarenta años fumando cuando por fin decidió dejarlo.
My grandfather had been smoking for more than forty years when he finally decided to give it up.

Sometimes the Present Participle is omitted, when the meaning is clear without it.

Llevo dos años en este instituto.
I've been at this school for two years.

Para entonces, Naim llevaba año y medio de viaje.
By then, Naim had been away for a year and a half.

Llevar y presente participio

Rewrite these sentences using the Present or Imperfect tense of **llevar** + Present Participle, instead of the **desde hace, desde hacía, hace ... que** or **hacía ... que** construction.

Q77: La inmensa mayoría de los inmigrantes procedentes de Marruecos cotizan desde hace años a la seguridad social.

. . . .

Q78: Hace un año que la pareja comparte piso con otras familias de Rumania.

. . . .

Q79: Viajábamos desde hacía más de veinticuatro horas cuando por fin llegamos a la playa de Los Cristianos.

. . . .

Q80: La familia ecuatoriana busca alojamiento en el barrio desde hace un mes.

. . . .

Q81: Elena tenía contrato y estaba empadronada desde hacía seis meses, por lo que solicitó el permiso de residencia.

. . . .

Q82: Hace bastante tiempo que Mahjoub está felizmente instalado con su pareja española en Pueblonuevo de Miramontes.

. . . .

Q83: Hacía más de cinco años que Pai Lan servía en el restaurante de su tío, cuando se casó con un compatriota y consiguieron abrir juntos el suyo propio.

. . . .

Q84: Algunos extranjeros aprenden el español desde hace varios años pero todavía les resulta difícil mezclarse e integrarse.

. . . .

Topic 3

Grammar: Employability

Contents

3.1	El subjuntivo	78
3.2	Lo que sea	79
3.3	Lo que sea, quien sea, donde sea	81
3.4	Expresiones que terminan en -quiera	82
3.5	Para que y otras expresiones que requiere el subjuntivo	83
3.6	Subjuntivo o infinitivo después para	84
3.7	Aunque: Subjuntivo o indicativo?	86
3.8	Subjuntivo después de verbos de opinión usados en sentido negativo	87

3.1   El subjuntivo

The perfect subjunctive

According to the rules governing the sequence of tenses, if the trigger verb or main verb in the sentence is in the Present, Perfect, Future or Imperative, the Subjunctive must either be in the Present or Perfect.

So how do we form the Perfect Subjunctive and when is it used?

Formation of the perfect subjunctive

Forming the Perfect Subjunctive is easy! Follow the next section to see how it is done.

Take the present subjunctive of **haber**

haya	hayamos
hayas	hayáis
haya	hayan

And add the **past participle** e.g. tomado, comido, vivido, visto etc.

so

he visitado	⇒	haya visitado
has escrito	⇒	hayas escrito
ha bebido	⇒	haya bebido
hemos dicho	⇒	hayamos dicho
habéis vuelto	⇒	hayáis vuelto
han hecho	⇒	hayan hecho

Use of the perfect subjunctive

Look at these two sentences:

Me alegro de que vengas a la fiesta.
Me alegro de que hayas venido a la fiesta.

Now look at the translations:

I'm glad you're coming to the party.
I'm glad you've come to the party.

The action in the second example is clearly in the past so you have to use a past tense i.e. the perfect subjunctive.

Practica con el subjuntivo perfecto

Complete these sentences using the perfect subjunctive of the Infinitive in brackets so
that they mean the same as the English sentences.

Go online

Q1:

1	Siento que . . . . . . esa decisión. (tomar)	I'm sorry that you have made that decision.
2	Es posible que . . . . . . de vacaciones. (irse)	It is possible that he has gone away on holiday.
3	Es una vergüenza que . . . . . . todo el dinero. (gastar)	It is a disgrace that they have spent all the money.
4	Es increíble que . . . . . . tanto. (lograr)	It is incredible that we have achieved so much.
5	Quizás se . . . . . . de tren. (equivocarse)	Perhaps he has got on the wrong train.

. . . .

3.2 Lo que sea

You may have come across the Spanish expression **sea lo que sea**.

This means "whatever it is" or "no matter what . . .". Look at these examples:

Sea lo que sea, no quiero oírlo.
Whatever it is, I don't want to hear it.
No matter what it is, I don't want to hear it.

However, similar expressions can be used with many other verbs:

Pase lo que pase	Whatever happens
Digas lo que digas	Whatever you say
Hagas lo que hagas	Whatever you do
Decidas lo que decidas	Whatever you decide
Estudies lo que estudies	Whatever you study
Compres lo que compres	Whatever you buy

It's easy, isn't it? You just need the following:

Verb in Present Subjunctive + lo que + Verb in Present Subjunctive

Make sure that you look carefully at this structure and then move on to the next activity
for some practice.

Go online

Traducción de *lo que sea* expresiones

Can you translate the following expressions?

Here is an example.

Whatever you say *translates as* Digas lo que digas

Q2: Whatever you do

....

Q3: Whatever you decide

....

Q4: Whatever you study

....

Q5: Whatever you pay

....

Q6: Whatever you take

....

Q7: Whatever you cook

....

Q8: Whatever you eat

....

Q9: Whatever you see

....

Other persons

All the examples that you've seen so far refer to "you", so the verb is in the second person singular, but you can use these expressions to refer to anyone you want. Let's look at an example:

Diga lo que diga	Digamos lo que digamos
Digas lo que digas	Digáis lo que digáis
Diga lo que diga	Digan lo que digan

Q10: Can you enter the forms missing in the table?

Haga lo que haga	

....

3.3 Lo que sea, quien sea, donde sea ...

So far we've seen how to say whatever in Spanish, but there are also equivalent expressions for "whoever", "wherever", "whenever" and "whichever".

Lo que sea, quien sea, donde sea ...

Q11:

Go online

Whatever	como
Whoever	donde
Wherever	cual
Whenever	lo que
Whichever	cuando
However	quien

....

Practica con lo que etc.

Can you now use these expressions? Write the correct word in each gap.

Go online

Q12: *Words*: lo que; quien; donde; cuando; cual; como

1. Gane ...... gane las elecciones, poco va a cambiar.
2. Todas las personas tienen los mismos derechos, vengan de ...... vengan.
3. Toda la documentación oficial se traduce a todos los idiomas de la UE, sea ...... sea el idioma de origen.
4. Los beneficios, vengan ...... vengan, serán modestos.
5. Digáis ...... digáis, España ha salido ganando con su entrada en la UE.
6. Lo mires ...... lo mires, ha sido un paso positivo para todos.

....

Practica de la traducción

Can you translate the sentences you have just made up? Try using the phrase "no matter" in some of them!

Go online

Q13: Gane quien gane las elecciones, poco va a cambiar.

....

Q14: Todas las personas tienen los mismos derechos, vengan de donde vengan.

....

Q15: Toda la documentación oficial se traduce a todos los idiomas de la UE, sea cual sea el idioma de origen.

....

Q16: Los beneficios, vengan cuando vengan, serán modestos.

....

Q17: Digáis lo que digáis, España ha salido ganando con su entrada en la UE.

....

Q18: Lo mires como lo mires, ha sido un paso positivo para todos.

....

3.4 Expresiones que terminan en -quiera

English adverbs or pronouns which end in **-ever**, become - **quiera** in Spanish.

comoquiera	however
cualquiera	whichever
cuandoquiera	whenever
dondequiera	wherever
quienquiera	whoever

These expressions are followed by the Subjunctive.

Q19: Give the present subjunctive of the infinitive in brackets to complete the expression.

however you do it	comoquiera que lo ...... (hacer)
whatever the reason may be	cualquiera que ...... la razón (ser)
whenever he arrives	cuandoquiera que ...... (llegar)
wherever you may be	dondequiera que ...... (estar)
whoever wins	quienquiera que ...... (ganar)

....

Go online

Practica con -quiera

Q20: Choose the correct expression from the list to complete the sentences. *Words:* cualquiera; comoquiera; quienquiera; dondequiera; cuandoquiera

1. ...... que sea, la UE indudablemente ha dado libertad de movimiento a todos sus ciudadanos.

2. ...... que sea la combinación de idiomas comunitarios, tendrá su traducción correspondiente en el Parlamento. .

3. Cualquier estudiante europeo puede pedir una beca de intercambio Erasmus ...... que lo desee.

4. Si eres comunitario y viajas dentro de la UE, tienes derecho a asistencia médica ...... que estés.

5. ...... que necesite la protección de la ley la obtendrá, porque la ley trata por igual a todos los ciudadanos.

....

3.5 Para que y otras expresiones que requiere el subjuntivo

The Subjunctive is used after the following expressions:

para que
a menos que
con tal (de) que
a fin de que
en caso de que
a no ser que
salvo que
a condición de que
sin que
siempre que

Expresiones que requieren el subjuntivo

Can you match up the expressions with their meanings?

Go online

Q21: *Muddled expressions*

para que	unless
a menos que	unless
con tal (de) que	unless
a fin de que	without
en caso de que	on condition that
a no ser que	so that, in order that
salvo que	so that, in order that
a condición de que	in the event that, in case
sin que	as long as, provided that
siempre que	as long as, provided that

....

Go online

Practica con expresiones que requieren el subjuntivo

Provide the correct form of the Subjunctive to complete the following sentences. Pay attention to the tense of the sentence and choose between Present, Perfect or Imperfect Subjunctive.

Q22:

1	Ningún país puede incorporarse a la UE a menos que los derechos políticos y humanos . . . . . . allí garantizados. [estar]
2	Para que un país . . . . . . optar al euro, su deuda pública debía ser inferior al 60% del PIB. [poder]
3	Una de las grandes ventajas de la UE es que ofrece absoluta movilidad dentro de sus países a condición de que uno . . . . . . a la Comunidad. [pertenecer]
4	Aprobaron la ley sin que nosotros lo . . . . [querer]
5	Siempre que . . . . . . posible, voy a trabajar durante un año o dos en otro país para ganar experiencia y aprender otro idioma. [ser]
6	A no ser que cada gobierno . . . . . . más información en los medios sobre lo que se decide en el Parlamento Europeo, muchos ciudadanos seguirán ignorando la importancia de esta institución. [ofrecer]
7	Salvo que tú ya hayas . . . . . . de una beca Erasmus, tienes derecho a solicitarla para cualquier país de la UE que tenga programado el intercambio con tu universidad. [disfrutar]
8	Cuando se pasó de la peseta al euro, los precios se redondearon siempre hacia arriba en caso de que la cifra obtenida en euros no . . . . . . exacta. [ser]
9	El fondo común europeo ofrecerá ayudas económicas a los nuevos miembros con tal de que . . . . . . al nivel de los demás en el menor tiempo posible. [ponerse]
10	A fin de que ningún ciudadano europeo . . . . . . discriminado, toda la documentación oficial se traducirá a todos los idiomas comunitarios. [sentirse]

. . . .

3.6   Subjuntivo o infinitivo después para

Look carefully at these two sentences.

> *David y Anna fueron a vivir a Madrid para aprender español.*
> *David y Anna fueron a vivir a Madrid para que sus hijos aprendieran español.*

Q23: Why is the Infinitive used in the first example and the Subjunctive in the second?

. . . .

Go online

Practica con para + infinitivo o para que + subjuntivo

Other linking words that can be used with the Infinitive or que + Subjunctive are:

A fin de
Sin
Con tal de
En caso de

Choose the correct option to complete each sentence.

Q24: Para ———- la inflación el gobierno ha tomado una serie de medidas.
a) controlar
b) controle

....

Q25: A fin de ———-a la UE España tuvo que equiparar su economía a la de los otros miembros.
a) incorporarse
b) se incorporase

....

Q26: Algunos dicen que el Socialismo es la única vía que existe para que todos ——
—-de los mismos derechos.
a) gozar
b) gocemos

....

Q27: Los nuevos miembros de la Unión esperan recibir ayuda financiera para ———-
sus infraestructuras.
a) modernizar
b) modernicen

....

Q28: Encontrarás trabajo en Bruselas con tal de que ———-por lo menos tres idiomas.
a) dominar
b) domines

....

Q29: Sin ———-los criterios de Maastricht ningún estado podía adoptar la moneda única.
a) satisfacer
b) satisficiera

....

Q30: El Consejo adaptó el Tratado de adhesión a fin de que los nuevos miembros ——
—- ayudas directas a la agricultura.

a) recibir
b) recibieran

....

Q31: Suiza, sin — — —- miembro de la UE, aportará 620 millones de euros para contribuir a la cohesión económica.

a) ser
b) sea

....

Q32: En caso de que — — —- cualquier problema o dificultad, te daré el teléfono del Consulado.

a) tener
b) tengas

....

Q33: Los manifestantes habían entrado en el Parlamento sin que nadie — — —- cuenta.

a) darse
b) se diera

....

Q34: Algunos ciudadanos están dispuestos a hacer cualquier sacrificio con tal de — —- una vida mejor.

a) conseguir
b) consigan

....

3.7   Aunque: Subjuntivo o indicativo?

The conjunction **aunque** can be followed by either the Indicative or the Subjunctive mood.

The Indicative is used with **aunque** when what follows it is a fact.

> *Aunque el Reino Unido es miembro de la Unión Europea,*
> *todavía no hemos adoptado el euro como moneda.*
> Although the UK is a member of the EU,
> we have still not adopted the euro as our currency.

The Subjunctive is used with **aunque** when what follows is hypothetical or uncertain.

In this case it is often translated as "even if".

> *Aunque muchos estuvieran en contra de la Unión,*

no se puede negar que ha traído beneficios.
Even if many people were against the Union,
you can't deny that is has brought benefits.

Practica con aunque

Provide the indicative or subjunctive of the verb in brackets, according to the meaning
of the sentence.

Go online

Q35:

1	Aunque (adoptarse) ...... el esperanto, cada país europeo conservaría su propio idioma.
2	Aunque el Parlamento Europeo (estar) ...... en suelo francés, representa a toda la UE.
3	Aunque (haber) ...... mucha abstención, las elecciones europeas siguen siendo importantes.
4	Aunque no (haber) ...... fronteras entre los países de la UE, se mantiene un alto grado de seguridad.
5	Aunque a algunas personas no les (parecer) ...... bien, en el Parlamento Europeo el inglés es el idioma más utilizado.
6	Todos los ciudadanos de la UE pueden trabajar en España aunque no (ser) ...... españoles.

....

3.8 Subjuntivo después de verbos de opinión usados en sentido negativo

When you express a negative opinion in Spanish the verb must be in the subjunctive.

Subjuntivo después de verbos de opinión usados en sentido negativo

Can you change these positive opinions into negatives opinions beginning with **no creo que**?

Go online

Q36:

Creo que se redondeará por exceso.	No creo que ...
Creo que el cambio de moneda puede originar un riesgo de inflación.	No creo que ...
Creo que el euro perjudicará a los trabajadores del sector bancario vinculados al cambio de divisas.	No creo que ...
La aparición en las etiquetas de los precios en euros inducirá a pensar que el coste del producto es menor.	No creo que ...

. . . .

Answers to questions and activities

1 Grammar: Society

Los verbos in tiempo presente (page 2)

Q1: El matrimonio **está** de capa caída en todo occidente. Las estadísticas que **llegan** de Europa, Estados Unidos y países latinoamericanos **confirman** que el índice de parejas que **formalizan** su relación **es** muy inferior al de las que **optan** por la convivencia.
Aunque actualmente el matrimonio ya no **se ve** como una atadura para toda la vida -especialmente significativo **es** que en algunos países europeos el porcentaje de bodas que **acaban** en divorcio **asciende** a un 60 %- **son** pocos los que **se animan** a jurar amor eterno a su pareja y certificarlo en un documento con valor legal.

Q2:

Present	Infinitive	Yo	Nosotros
está	estar	estoy	estamos
llegan	llegar	llego	llegamos
confirman	confirmar	confirmo	confirmamos
formalizan	formalizar	formalizo	formalizamos
es	ser	soy	somos
optan	optar	opto	optamos
se casan	casarse	me caso	nos casamos
existe	existir	existo	existimos
se ve	verse	me veo	nos vemos
acaban	acabar	acabo	acabamos
asciende	ascender	asciendo	ascendemos
animan	animar	animo	animamos

Imperfecto 1 (page 2)

Q3: Según los especialistas, una de las causas del descenso del número de matrimonios es la independencia económica de la mujer. Basta una rápida mirada al tema para constatar que hasta hace unas décadas **era** impensable que una mujer pudiera prescindir del matrimonio para vivir. En un principio, las chicas **dependían** de la economía familiar -del sueldo paterno-, para pasar a depender del marido cuando **se casaban**. Hoy el porcentaje de mujeres que trabaja fuera de casa es alto. Esto hace que la mujer pueda disponer de una autonomía económica total y por consecuencia, el matrimonio ha dejado de ser la única vía de conseguir seguridad para una mujer.

Q4:

Verb	Infinitive	Yo	Nosotros
era	ser	era	éramos
dependían	depender	dependía	dependíamos
se casaban	casarse	me casaba	nos casábamos

Imperfecto 2 (page 3)

Q5: Bajo el régimen de Franco, la mujer tuvo un papel muy tradicional. El hombre **era** el que **mandaba** en casa y en la sociedad. El deber de la mujer **era** quedarse en casa cuidando de los hijos y haciendo tareas "propias de su sexo". No **había** divorcio, no se **vendían** anticonceptivos y el aborto **era** ilegal. Aunque hoy nos parezca mentira, hace sólo tres décadas, las mujeres españolas no **podían** tener un trabajo ni abrir una cuenta bancaria sin el permiso de su marido. Hasta hace 30 años una mujer **dependía** legal y administrativamente de su padre o de su marido, y tan sólo quedarse viuda le **permitía** moverse con cierta independencia.

Q6: ser

Q7: mandar

Q8: haber

Q9: vender

Q10: poder

Q11: depender

Q12: permitir

Los verbos que indican el cambio (page 4)

Q13:

Getting bigger	Getting smaller
aumentar	descender
ascender	disminuir
incrementar	bajar
subir	reducir

Adjetivos 1 (page 4)

Q14: Según los especialistas, una de las causas del descenso del número de matrimonios es la independencia **económica** de la mujer. Basta una **rápida** mirada al tema para constatar que hasta hace unas décadas era **impensable** que una mujer pudiera prescindir del matrimonio para vivir. En un principio, las chicas dependían de la economía **familiar** -del sueldo **paterno**-, para pasar a depender del marido cuando se casaban. Hoy el porcentaje de mujeres que trabaja fuera de casa es alto. Esto hace que la mujer pueda disponer de una autonomía **económica total** y por consecuencia, el matrimonio ha dejado de ser la **única** vía de conseguir seguridad para una mujer.

Q15:

Initial adjectives:

Masculine singular	Feminine singular	Masculine plural	Feminine plural
	económica		
	única		
	familiar		
	rápida		
impensable			
alto			
paterno			
	total		

Completed table:

Masculine singular	Feminine singular	Masculine plural	Feminine plural
económico	económica	económicos	económicas
único	única	únicos	únicas
familiar	familiar	familiares	familiares
rápido	rápida	rápidos	rápidas
impensable	impensable	impensables	impensables
alto	alta	altos	altas
paterno	paterna	paternos	paternas
total	total	totales	totales

Adjetivos 2 (page 5)

Q16:

1. La mortalidad en las carreteras **españolas** registró en 2008 el mayor descenso de la historia.

2. Se produjeron 1.929 accidentes de circulación **mortales** en el año 2008.

3. El uso del cinturón está más generalizado entre los conductores y pasajeros de los asientos **delanteros**.

4. El uso del cinturón es mayor en carretera que en vías **urbanas**.

5. Se vigilará que los menores vayan sentados en sus sillitas **reglamentarias**.

6. Las infracciones más **comunes** están relacionadas con el exceso de velocidad.

7. Además de reducir los accidentes de tráfico, se han moderado las velocidades **medias**.

Tiempo (page 5)

Q17:

Present	Past
ahora	antes
hoy en día	hace unas décadas
actualmente	en el pasado
en la actualidad	en siglos pasados
en estos tiempos	en aquel entonces
en nuestros días	en la antigüedad
aún	entonces
todavía	hace poco

Los tiempos verbales correctos (page 5)

Q18: En el pasado muy pocas mujeres **trabajaban** fuera de casa pero ahora la gran mayoría de las mujeres **tienen** un trabajo por lo menos a tiempo parcial.

Q19: Antiguamente los hombres **hacían** muy poco en casa pero hoy en día muchos **ayudan** con las tareas domésticas.

Q20: Antes los jóvenes no **se atrevían** a desobedecer a sus padres pero ahora **suelen** ser más rebeldes e independientes.

Q21: Antes la mujer sólo **viajaba** en compañía pero ahora muchas **emprenden** viajes solas a todas partes del mundo.

Q22: En siglos pasados el hombre **tomaba** todas las decisiones de la casa pero en nuestros días los dos **deciden** juntos lo que **hay** que hacer.

Q23: Hace unas décadas **había** pocas mujeres en puestos directivos, pero actualmente **desempeñan** papeles importantes en todos los sectores del mundo laboral.

El deber (page 6)

Q24: We must do all we can to help the poor in times of crisis.

Q25: I had to sell my house to pay my debts and I still owe more than 100.000 euros.

Q26: Homework is an important part of the education of children of all ages.

Q27: Answer: "the duty"

Q28: Now finally women have the power to decide for themselves what is best for them.

El Imperativo (page 7)

Q29:

1. **Ten** preparada una comida deliciosa para cuando él regrese del trabajo.
2. **Ofrécete** a quitarle los zapatos.
3. **Salúdale** con una sonrisa.
4. **Habla** en tono bajo, relajado y placentero.
5. **Escúchale, déjale** a tu marido a poner en práctica sus aficiones e intereses y **recuerda** de apoyo sin ser excesivamente insistente.
6. **Anima** a tu marido a poner en práctica sus aficiones e intereses y **sírvele** de apoyo sin ser excesivamente insistente.
7. Si tú tienes una afición, **intenta** no aburrirle hablándole de ésta ya que los intereses de las mujeres son triviales comparados con los de los hombres.
8. Al final de la tarde **limpia** la casa, para que esté limpia de nuevo en la mañana.
9. **Recuerda** que debes tener un aspecto inmejorable a la hora de ir a la cama. Si debes aplicarte crema facial o rulos para el cabello, **espera** hasta que él esté dormido, ya que esto podría resultar chocante a un hombre a última hora de la noche.

Presente (page 8)

Q30: Me llamo Laura, **tengo** 16 años y me gustaría denunciar que en estos tiempos y en este país **sigue** existiendo machismo, mucho machismo, ese que ha existido desde siempre y que **se supone**, sólo **se supone**, ha desaparecido de la España democrática, moderna y europea.
Todavía **hay** gente a la que le **sigue** pareciendo extraña la incorporación de la mujer al mundo laboral; muchas de las mujeres que **trabajan** fuera de casa (dentro, todas y sin cobrar) **sufren** injusticias como acoso, sueldos menores que los hombres e, incluso, despidos o rescisión de contratos cuando **se quedan** embarazadas. Eso, por no hablar de la violencia que **sufren** a manos de sus parejas, maridos o novios.
Hay que educar a los niños y a las niñas desde muy pronto en el respeto a la dignidad de la mujer y en una verdadera igualdad de derechos: ¡verdadera! En ellos **está** nuestro futuro.

Infinitivos (page 8)

Q31: llamarse

Q32: seguir

Q33: tener

Q34: suponerse

Q35: haber

Q36: trabajar

Q37: sufrir

Q38: quedarse

Q39: estar

Verbos miscellaneous (page 9)

Q40:

Perfect	Infinitive	Present Participle	Conditional
ha existido	denunciar	existiendo	me gustaría
ha desaparecido	hablar	pareciendo	
	educar		
	cobrar		

Las piezas faltantes (page 9)

Q41:

Perfect	Infinitive	Present Participle	Conditional
ha existido	existir	existiendo	existiría
ha desaparecido	desaparecer	desapareciendo	desaparecería
ha denunciado	denunciar	denunciando	denunciaría
ha hablado	hablar	hablando	hablaría
ha educado	educar	educando	educaría

Sigue + presente participio (page 9)

Q42: In this country male chauvinism still exists.

Q43: There are still people who think it is strange.

Q44: En este país todavía existe machismo.

Q45: Hay gente a la que le sigue pareciendo extraño. OR
Sigue habiendo gente a la que le parece extraño.

Sigue and todavía (page 10)

Q46:

Las feministas dicen que…	
hay mujeres que siguen sufriendo a manos de sus parejas violentas.	hay mujeres que sufren todavía (or todavía sufren) a manos de sus parejas violentas.
algunos jefes siguen prefiriendo contratar a un hombre en vez de a una mujer.	algunos jefes todavía prefieren contratar a un hombre en vez de a una mujer.
parece que sigue habiendo trabajos considerados masculinos.	parece que hay todavía (or todavía hay) trabajos considerados masculinos.
muchas personas piensan que el mundo en el que vivimos sigue siendo muy machista.	muchas personas piensan que el mundo en el que vivimos es todavía muy machista.
muchos hombres siguen siendo unos machistas empedernidos.	muchos hombres son todavía (or todavía son) unos machistas empedernidos.
las mujeres siguen percibiendo sueldos inferiores a los de los hombres.	las mujeres todavía perciben sueldos inferiores a los de los hombres.
las mujeres siguen encontrando dificultad para conseguir puestos de responsabilidad.	las mujeres todavía encuentran dificultad para conseguir puestos de responsabilidad.

Negativos (page 11)

Q47:

Pero es, sobre todo, un examen para los padres. En el mejor de los casos, los padres "hacen lo que pueden". En otros, sencillamente se lavan las manos porque a su hijo "**no** hay quien le tosa". Muchos padres tiran la toalla en cuanto aparecen los primeros encontronazos. Prefieren esperar a que a su hijo se le pase la "edad tonta". **No** piensan que una adolescencia conflictiva es fruto de una infancia con deficiencias. Hay que echar un vistazo atrás y empezar a hacer cuentas. Cuántas horas solo en casa en compañía de la televisión, cuánto tiempo colgado de la Play Station o conectado a Internet, cuántos vacíos que **nadie** se preocupó de llenar.

Emilio Calatayud, magistrado del Juzgado de Menores de Granada, conoce de cerca los problemas de la gente joven. Afirma que a esta sociedad se le ha ido de las manos la educación de los adolescentes. "**No** hemos sabido ejercer correctamente la función de la paternidad y de la maternidad. Hemos pasado del autoritarismo excesivo que había antes, a una gran permisividad y a querer ser amigos de nuestros hijos. Y yo creo que un padre **nunca** puede ser el amigo de su hijo: tiene que ser su padre y punto".

Q48:

Negative expressions	Positive expressions
nada	algo
nadie	alguien
tampoco	también
ningún	algún
en ninguna parte	por todas partes
todavía no	ya
nunca	siempre
ya no	todavía

Impersonal "se" (page 12)

Q49:

se dice que	they say that
se estima que	it is reckoned that
se ve que	you can see that
se piensa que	people think that
se espera que	one hopes that
se teme que	we fear that

Frases con impersonal "se" (page 12)

Q50:

We must adopt a much more realistic attitude. realista que más tiene una mucho adoptar se actitud. **Se tiene que adoptar una actitud mucho más realista.**
You can see the consequences wherever you look. ver por pueden se mire se las mire donde se consecuencias. **Se pueden ver las consecuencias se mire por donde se mire.**
People are living for longer and longer. más vez cada vive tiempo se. **Se vive cada vez más tiempo.**
They reckon that at the moment there are more than four workers for every pensioner. actualidad en más calcula se hay que la por cuatro pensionista de trabajadores. **Se calcula que en la actualidad hay más de cuatro trabajadores por pensionista.**
It's thought that in 50 years time there will be fewer than two. de que cree cincuenta de dentro dos se años menos habrá. **Se cree que dentro de cincuenta años habrá menos de dos.**

El futuro (page 13)

Q51: Al ser más numerosos día a día, los ciudadanos mayores de 65 años **tendrán** una influencia política decisiva. Se **harán** muy familiares términos como jubilación, alzheimer, pensiones, golf y botox. Muchos mayores **seguirán** trabajando después de los 65 años. Esto **supondrá** una alteración importante de la actual dinámica personal: la secuencia adolescencia-juventud-estudios-trabajo se **retrasará** unos cuantos años. Algunos psicólogos dicen que la adolescencia **finalizará** hacia los 35 años. Las técnicas de reproducción asistida **posibilitarán** tener hijos a los 70 años. Los mayores de 65 años **podrán** tener a sus padres o abuelos viviendo en sus casas. Los ancianos ricos **serán** cada vez más ricos y los jóvenes pobres cada vez más pobres. El resultado **será** una sociedad tripartita con los muy ancianos y muy ricos en la cumbre, una masa de población intermedia y los jóvenes pobres y no influyentes en la base.

El subjuntivo (page 13)

Q52:

The Indicative Mood	The majority of verbs appear in this mood. It covers all tenses, Present, Future, Imperfect, Preterite etc.
The Imperative Mood	Is used to express commands.
The Subjunctive Mood	Is used mostly in subordinate clauses, following certain "triggers", for example, where an element of doubt, uncertainty or emotion is involved.

Revisión de la formación del presente de subjuntivo (page 14)

Q53:

Infinitivo	yo	nosotros
formar	forme	formemos
temer	tema	temamos
corresponder	corresponda	correspondamos
decidir	decida	decidamos
afirmar	afirme	afirmemos
atreverse	me atreva	nos atrevamos
añadir	añada	añadamos

Los verbos que requieren una atención especial en el presente de subjuntivo (page 14)

Q54:

Infinitivo	yo	nosotros
tener	tenga	tengamos
volver	vuelva	volvamos
organizar	organice	organicemos
elegir	elija	elijamos
suponer	suponga	supongamos
hacer	haga	hagamos
conducir	conduzca	conduzcamos
pedir	pida	pidamos
preferir	prefiera	prefiramos
pagar	pague	paguemos
decir	diga	digamos
ser	sea	seamos
ir	vaya	vayamos
pensar	piense	pensemos
conocer	conozca	conozcamos
sentir	sienta	sintamos

¿Presente de subjuntivo o indicativo? (page 14)

Q55: a) Subjunctive

Q56: b) Indicative

Q57: a) Subjunctive

Q58: b) Indicative

Q59: b) Indicative

Q60: a) Subjunctive

Q61: b) Indicative

Q62: b) Indicative

Q63: a) Subjunctive

Q64: a) Subjunctive

Q65: b) Indicative

Q66: a) Subjunctive

El subjuntivo con verbos de influencia (page 17)

Q67: I recommend to women that they do not adopt masculine roles.

Q68: It is asked that we fit in with a system of values.
or better
We are asked to fit in with a system of values.

Q69: This makes that the woman can be totally independent financially.
or better
This means that women can be totally independent financially.

Los verbos de influencia (page 17)

Q70:

decir	to tell
pedir	to ask
recomendar	to recommend
aconsejar	to advise
exigir	to demand
querer	to want
prohibir	to forbid
impedir	to prevent
persuadir	to persuade
hacer	to make, to do
dejar	to allow, let
permitir	to permit

Practique con verbos de influencia utilizando presente de subjuntivo (page 18)

Q71: El alto coste de la vivienda hace que el 60% de los jóvenes no **se marchen** de casa antes de los 30 años. (marcharse)

Q72: La ley exige que todos los conductores **aprueben** exámenes escritos de conocimiento y pruebas de carretera. (aprobar)

Q73: Hemos conseguido que la vida **sea** un poco más fácil para la familia hoy en día. (ser)

Q74: Los avances en la medicina permiten que la tercera edad **pueda** ser un periodo largo.

Q75: ¿Por qué no quiere tu madre que **te cases** antes de terminar tus estudios universitarios? (casarte)

Q76: Las tareas domésticas y otras responsabilidades impiden que las madres solteras **tengan** tiempo para dedicarlo a su vida personal y social. (tener)

Q77: Nuestros profesores suelen insistir en que **entreguemos** los deberes a tiempo. (entregar)

Q78: Se recomienda que los niños no **pasen** más de dos horas frente a la televisión. (pasar)

Q79: El permiso de paternidad permite que los hombres también **disfruten** de los primeros días de vida de sus hijos. (disfrutar)

El subjuntivo con antecedentes indefinidos o inexistentes (page 19)

Q80: A suitable translation would be: "It forms a kind of insurmountable barrier for any women who want/might want to have access to positions of responsibility."

Antecedentes indefinidos o inexistentes (page 19)

Q81:

1. Necesitamos un sistema que nos **trate** a todos por igual. (tratar)
2. Quiero un trabajo que **conlleve** más responsabilidad y que me **permita** desarrollarme profesionalmente. (conllevar) (permitir)
3. Buscamos a jóvenes que **hablen** inglés y que **sepan** conducir. (hablar) (saber)
4. Sólo queremos un entorno donde **podamos** vivir en paz y seguridad. (poder)
5. Los ladrones buscan en los coches cualquier artículo que **tenga** valor. (tener)
6. No hay nadie que **entienda** perfectamente lo que pasa. (entender)
7. Los jóvenes aceptarán cualquier trabajo que les **proporcione** un sueldo decente. (proporcionar)
8. ¿Conoces a alguien que me **ayude**? (ayudar)
9. No encuentro nada que me **apetezca** en la lista de ofertas. (apetecer)
10. Buscamos a otros que **compartan** nuestro interés por la política. (compartir)

El subjuntivo después quizás (page 19)

Q82:

1. Tal vez nuestros amigos **vuelvan** a visitarnos el año que viene. (volver)
2. Zapatero asegura que quizás **estemos** en la fase final del terrorismo. (estar, nosotros)
3. Como el ayuntamiento no puede garantizar plaza en este colegio quizá **tengan** que buscarse otro. (tener, los padres)
4. Acaso **haya** otros métodos más rápidos de resolver el cubo de Rúbik pero para principiantes se recomienda éste. (haber)
5. Quizá no **sea** el mejor momento para comprar una casa.(ser)
6. Quizás **necesitemos** nosotros un par de meses de descanso para reflexionar sobre ello. (necesitar)

El subjuntivo - ser (page 20)

Q83:

es importante que	it is important that
es imprescindible que	it is essential that
es aconsejable que	it is advisable that
es preciso que	it is necessary that
es interesante que	it is interesting that
es mejor que	it is better that
es frecuente que	it is often the case that
es lógico que	it is logical that
es raro que	it is odd that
es normal que	it is normal that

El uso del subjuntivo (page 21)

Q84: f) F. after an impersonal expression involving a value judgement

Q85: e) E. after a verb of emotion

Q86: g) G. expressing a command a wish or encouragement to do something

Q87: c) C. after a verb of thinking or believing used negatively

Q88: a) A. after a verb of influence

Q89: d) D. after a conjunction of purpose

Q90: b) B. after an indefinite antecedent

Q91: a) A. after a verb of influence

Crear frases con expresiones impersonales (page 22)

Q92:

es importante que	aceptar cuanto antes las nuevas tecnologías.	aceptemos cuanto antes las nuevas tecnologías.
es imprescindible que	ponerse al corriente de lo que pasa.	nos pongamos al corriente de lo que pasa.
es normal que	guardar un poco de dinero para cuando haga falta.	guardemos un poco de dinero para cuando haga falta.
es aconsejable que	evitar las situaciones conflictivas.	evitemos las situaciones conflictivas.
es mejor que	escuchar lo que dicen los expertos.	escuchemos lo que dicen los expertos.
es preciso que	no convertirse en adictos a Internet.	no nos convirtamos en adictos a Internet.
es interesante que	encontrar tan difícil la comunicación.	encontremos tan difícil la comunicación.
es raro que	tener dificultades para desconectarnos.	tengamos dificultades para desconectarnos.

Presente de subjuntivo (page 23)

Q93:

1	Es lógico que los chavales **bajen** discos de la red.
2	Es raro que los padres no **vigilen** las páginas web que ven sus hijos.
3	Es preciso que la policía **haga** un esfuerzo para acabar con la compra de discos y DVD pirateados.
4	Es normal que un chico **quiera** un móvil con la última tecnología.
5	Es interesante que el Gobierno no **tome** cartas en el asunto.
6	Es frecuente que los niños **prefieran** los juguetes tecnológicos a los tradicionales.
7	Es mejor que todos **se comuniquen** por correo electrónico porque será mucho más rápido.
8	Es imprescindible que **se enseñen** a los niños los peligros de las salas de chat.
9	Es importante que los jóvenes **sepan** la diferencia entre el lenguaje de los mensajes de texto y el lenguaje que se debe usar en los exámenes.
10	Es aconsejable que los usuarios no **compartan** sus datos personales con desconocidos en Internet.

El imperfecto de subjuntivo (page 23)

Q94:

Si al público no le gustaran tanto los programas tipo Gran Hermano	dejarían de emitirlos.
Si todo el mundo descargara música de forma ilegal	eso tendría un efecto devastador en los ingresos de la industria musical.
Si los padres supieran lo que hacen sus hijos en Internet	estarían muy preocupados.
Si perdiera mi móvil	no sabría qué hacer.
Si los mayores no tuvieran tanto miedo al ordenador	se darían cuenta de las muchas ventajas que podría ofrecerles.
Si todos los profesores dispusieran de una pizarra interactiva	sus clases serían mucho más interesantes.
Si supiera escribir un poco mejor con el teclado	tendría menos faltas de ortografía.
Si los niños pasaran menos tiempo delante de la televisión	no habría tantos casos de obesidad infantil.
Si todas las armas y las bombas desaparecieran	el mundo sería un sitio mejor.
Si los padres conocieran el contenido de algunos de los videojuegos	no les permitirían a sus hijos usarlos.

Gramática: Secuencia de tiempos (page 25)

Q95: a) asuman

Q96: a) sean

Q97: b) hubiera

Q98: a) sea

Q99: b) protegiera

Q100: b) respondiese

Q101: a) sirva

Q102: a) tengan

Q103: b) estuviera

Q104: b) esforzáramos

Q105:

1	La instalación de paneles solares permitiría que **se consumiera / se consumiese** menos energía.	consumirse
2	El director decía que era completamente razonable sugerir que los niños **tuviesen / tuvieran** que pensar y actuar ecológicamente en el colegio.	tener
3	Estas organizaciones solicitan al Gobierno español que **impulse** un acuerdo europeo ambicioso con compromisos internos de reducción de emisiones.	impulsar
4	Podremos disminuir estos efectos si buscamos nuevas fuentes de energía que **sean** renovables.	ser
5	Los hoteles y viviendas que no **cumplieran / cumpliesen** con esas condiciones fueron derribados.	cumplir
6	Se han fomentado programas de ecoturismo que **permitan** el desarrollo sostenible de los habitantes.	permitir
7	Durante los años 70 ella participó en el movimiento Chipko, formado por mujeres que se abrazaban a los árboles para evitar que los **talaran / talasen**.	talar

El subjuntivo después para que (page 28)

Q106:

La ecología debe ser materia de estudio obligatorio	para que todos los estudiantes tomen conciencia de la necesidad de colaborar.
Los miembros del tratado están estudiando nuevas fórmulas	para que Estados Unidos y otros países firmen el acuerdo.
Sólo basta una leve modificación de temperatura	para que se rompa el delicado equilibrio de la naturaleza.
Antena 3 ha preparado un reportaje sobre la situación en Latinoamérica	para que tengamos una visión más amplia de lo que ocurre en el resto del mundo.
Tal vez sea necesaria una catástrofe	para que la gente empiece a prestar la debida atención.

Q107:

La ecología debe ser materia de estudio obligatorio para que todos los estudiantes tomen conciencia de la necesidad de colaborar.	Ecology should be a compulsory subject so that all students become aware of the need to collaborate.
Los miembros del tratado están estudiando nuevas fórmulas para que Estados Unidos y otros países firmen el acuerdo.	The members of the treaty are studying new ways of getting the United States and other countries to sign the agreement.
Sólo basta una leve modificación de temperatura para que se rompa el delicado equilibrio de la naturaleza.	All we need is a slight modification in temperature for the delicate balance of nature to be broken.
Antena 3 ha preparado un reportaje sobre la situación en Latinoamérica para que tengamos una visión más clara de lo que ocurre en el resto del mundo.	Antena 3 has prepared a report on the situation in Latin America so that we have a clearer vision of what is happening in the rest of the World.
Tal vez sea necesaria una catástrofe para que la gente empiece a prestar la debida atención.	Perhaps we need to experience a catastrophe for people to begin to pay due attention.

Para que + imperfect subjunctive (page 29)

Q108:

1. La ecología debería ser materia de estudio obligatorio para que todos los estudiantes **tomaran / tomasen** conciencia de la necesidad de colaborar. (tomar)
2. Los miembros del tratado estuvieron estudiando nuevas fórmulas para que Estados Unidos y otros países **firmaran/ firmasen** el acuerdo. (firmar)
3. Sólo bastaría una leve modificación de temperatura para que se **rompiera / rompiese** el delicado equilibrio de la naturaleza. (romper)
4. Antena 3 había preparado un reportaje sobre la situación en Latinoamérica para que **tuviéramos / tuviésemos** una visión más clara de lo que ocurre en el resto del mundo. (tener)
5. Tal vez fuera necesaria una catástrofe claramente atribuible al calentamiento global para que la gente **empezara / empezase** a prestar la debida atención. (empezar)

Otras expresiones similares a *para que* que requieren el subjuntivo (page 30)

Q109:

a fin de que	in order that
de modo que	so that
antes de que	before
sin que	without
aunque	even though
con tal de que	provided that
a condición de que	on condition that
a menos que	unless
a no ser que	unless

Q110:

1. Tenemos que cambiar nuestra forma de vida **antes de que** sea demasiado tarde.
2. No vamos a poder evitar una crisis global **a menos que / a no ser que** todas las naciones del mundo se pongan de acuerdo.
3. **A no ser que / a menos que** aprendamos a compartir los recursos de forma equitativa no vamos a disfrutar de la paz.
4. Tenemos un futuro delante de nosotros que puede ser bueno **a condición de que** cambiemos de rumbo.
5. Vamos a montar una campaña **a fin de que / de modo que** todos sepan las ventajas de los productos que ofrecen los mayores beneficios para el medio ambiente.
6. El primer ministro ha dado por buena la crisis **con tal de que** lleve a su "nuevo orden mundial"
7. **Aunque** parezca mentira todavía hay países donde se sigue cazando y capturando especies protegidas.
8. Por un lado el peligro de un accidente nuclear es serio, pero podemos estar 50 años **sin que / antes de que** ocurra otro.

Expresiones que exigen subjuntivo (page 31)

Q111:

Debemos frenar las emisiones que dañan la capa de ozono	antes de que sea demasiado tarde.
No debemos emplear productos contaminantes para la limpieza	a no ser que sean realmente indispensables.
Cada vez más gente separa y recicla	de modo que la basura pueda recibir un tratamiento más ecológico.
Podemos usar bolsas de plástico para la compra	con tal de que éstas se vuelvan a utilizar varias veces más.
Nos beneficia a todos comprar productos ecológicos	aunque sean ligeramente más caros
Se pueden tener hábitos ecológicos	sin que nuestra forma de vida sufra grandes alteraciones.

Q112:

1. El gobierno indicó que estaría dispuesto a dar ayudas económicas a las familias a condición de que **cambiaran/cambiasen** todos los electrodomésticos de más de diez años de antigüedad.

2. Sé que seguiría reciclando el cristal y el papel aunque el contenedor de reciclado **estuviera/estuviese** lejos de casa.

3. Decidí no volver a usar el coche a menos que **fuera/fuese** estrictamente necesario.

4. Ojalá todos los países firmaran el tratado sin que **tuviéramos/tuviésemos** que llegar a las amenazas.

5. La alerta se anunció por radio y televisión antes de que **empezara/empezase** el temporal.

6. La orden dictaba que la fábrica tendría que pagar una multa de 20.000 euros a no ser que **solucionara/solucionase** el problema de fugas tóxicas.

7. El artículo recomendaba comprar bombillas de bajo consumo a fin de que el gasto mensual de luz **pudiera/pudiese** reducirse considerablemente.

8. Estaría dispuesta a comprar sólo productos de limpieza ecológicos con tal de que **resultaran/resultasen** igualmente efectivos que los productos convencionales.

9. El pueblo se sentía orgulloso de sus molinos de viento aunque el paisaje **se viera/se viese** alterado.

10. Muchos extranjeros compraron casas en la playa sin que nadie les **dijera/dijese** que tendrían problemas con la Ley de costas.

La voz pasiva (page 32)

Q113: b) Passive

Q114: a) Active

Q115: b) Passive

Q116: b) Passive

Q117: b) Passive

Q118: a) Active

Q119: a) Active

Q120: b) Passive

Q121: a) Reflexive

Q122: b) Passive

Q123: b) Passive

Q124: a) Reflexive

Q125: b) Passive

Q126: b) Passive

Q127: a) Reflexive

Q128: a) Reflexive

Traducción verbos pasivos (page 35)

Q129:

han sido concedidas	have been granted
se dictaron	were issued
se presentaron	were filed
se han solicitado	have been requested
se denunciaron	were reported
fueron detenidos	were arrested
fueron asesinadas	were murdered
se relaciona	is related to

Verbos pasivos (page 35)

Q130:

1. En 2007 68 mujeres **fueron asesinadas** en España por su pareja o ex pareja sentimental.
2. En 2006 **se presentaron** 39.079 denuncias por casos de violencia de género y **se dictaron** más de 11.000 órdenes de protección dirigidas a mujeres.
3. Y **se han solicitado** casi 72.000 órdenes de protección de las que un 75,5% **han sido concedidas**.

4. El año pasado en España 45.296 hombres **fueron detenidos** por la policía y guardia civil por violencia de género: esto es, un detenido cada 12 minutos.

5. Una de cada 10 detenciones por infracción penal **se relaciona** con la violencia contra la mujer.

6. El pasado año **se denunciaron** 6.798 casos de abusos sexuales contra mujeres en España.

Práctica formando oraciones utilizando el pasivo (page 35)

Q131: Since he was given a Wii console as a present not long ago.
N.B. The inclusion of the pronoun "le" in this example is important as without it the verb could mean "he gave himself a present". "Le" is required to avoid ambiguity.

Q132:

The presenter was blamed for the failure of the programme.	Se le achacó al presentador el fracaso del programa.
They are accused of hounding the celebrities continuously.	Se les acusa de acosar continuamente a los famosos.
We were informed yesterday about the accident.	Se nos informó ayer del accidente.
The prisoner will be freed tomorrow.	Se liberará al prisionero mañana.
The winner has been notified by email.	Al ganador se le ha comunicado por email
All passengers are asked to wait in the Terminal.	Se ruega a todos los pasajeros que esperen en la Terminal.
It was accepted as an Olympic sport in 2000.	Se aceptó como deporte olímpico en el año 2000.

El verdadero pasiva (page 36)

Q133: El primer microondas de uso doméstico **fue fabricado** en 1967.

Q134: La primera aspiradora eléctrica fue **diseñada** en 1908.

Q135: Las primeras grabaciones en vídeo **fueron realizadas** en 1951.

Q136: Los teléfonos móviles **fueron fabricados** por primera vez en 1983.

Q137: El primer cajero automático **fue instalado** en 1968.

Q138: El DVD **fue lanzado** al mercado en 1997.

Q139: El fax **fue inventado** en 1980.

Q140: Los emoticones **fueron creados** en 1982.

Q141: Vista, la última versión de Windows, **fue desarrollada** en 2007.

Q142: El sistema global de navegación por satélite **fue ideado** a mediados de los años ochenta.

Q143: El primer correo **fue enviado** en el año 1973.

Q144: La primera vez que **fueron utilizadas** cremalleras en prendas de ropa fue en 1920.

La pasiva expresada por "se" (page 37)

Q145:

1. El primer microondas de uso doméstico **se fabricó** en 1967.
2. La primera aspiradora eléctrica fue **se diseñó** en 1908.
3. Las primeras grabaciones en vídeo **se realizaron** en 1951.
4. Los teléfonos móviles **se fabricaron** por primera vez en 1983.
5. El primer cajero automático **se instaló** en 1968.
6. El DVD **se lanzó** al mercado en 1997.
7. El fax **se inventó** en 1980.
8. Los emoticones **se crearon** en 1982.
9. Vista, la última versión de Windows, **se desarrolló** en 2007.
10. El sistema global de navegación por satélite **se ideó** a mediados de los años ochenta.
11. El primer correo **se envió** en el año 1973.
12. La primera vez que **se utilizaron** cremalleras en prendas de ropa fue en 1920.

Pretéritos irregulares (page 38)

Q146:

"Estoy fatal" dice Victoria.	"**Estuve** fatal" **dijo** Victoria.
La vuelta al trabajo de los españoles pone a prueba la ley contra el tabaco.	La vuelta al trabajo de los españoles **puso** a prueba la ley contra el tabaco.
Victoria no ha podido abandonar su puesto para encender un cigarrillo.	Victoria no **pudo** abandonar su puesto para encender un cigarrillo.
De golpe tiene que dejar el hábito.	De golpe **tuvo** que dejar el hábito.
La actitud de la gente está siendo muy positiva.	La actitud de la gente **fue** muy positiva.
En el ámbito laboral no está habiendo dificultades.	En el ámbito laboral no **hubo** dificultades.
Se han visto numerosos grupos de fumadores a las puertas de los edificios.	Se **vieron** numerosos grupos de fumadores a las puertas de los edificios.
Quiere subrayar que la gente está cumpliendo la norma.	**Quiso** subrayar que la gente estaba cumpliendo la norma.
Esta normativa traerá como consecuencia un mal ambiente en las oficinas.	Esta normativa **trajo** como consecuencia un mal ambiente en las oficinas.
De cualquier manera, un dato está claro.	De cualquier manera, un dato **estuvo** claro.

Ser v Estar (page 39)

Q147:

1. In the first sentence **Ser** is the correct verb. You never use **Estar** followed directly by a noun.
2. In the second sentence the correct verb is **Estar**. Victoria is telling us how she feels, the state that she is in. In fact, it might be best to translate what she says as "I'm feeling awful" rather than simply "I'm awful".

Q148: a) son

Q149: a) es

Q150: d) está and está

Q151: d) está and está

Q152: b) están and es

Q153: c) está and es

Q154: d) está and está

Q155: b) están

Q156: c) estar and ser

Q157: a) Es and Estoy

Q158: c) están and es

Adverbios (page 41)

Q159: hace 50 años ya

Q160: medio siglo después

Q161:

This adverbial phrase . . .	The verb or verbs associated with the adverbial phrase is . . .
en los años ochenta	llegó
de aquella época	eran iban apareciendo
hasta hace muy poco tiempo	culpaba
hoy	nos encontramos ejercita

Q162:

of time?	en poco más de dos horas
of manner?	tan solo en constante renovación
of place?	por todas partes
of quality?	así como
of negation?	no

La formación de los adverbios (page 42)

Q163: fielmente

Q164: lentamente

Q165: elegantemente

Q166: atentamente

Q167: felizmente

Q168: claramente

Q169: seguramente

Q170: probablemente

Q171: tristemente

Q172: fácilmente

Dos adverbios juntos (page 43)

Q173: lenta y cuidadosamente

Q174: política y económicamente

Q175: total y absolutamente

Frases adverbiales formadas con 'con + sustantivo' (page 43)

Q176: con tristeza

Q177: con claridad

Q178: con frecuencia

Q179: con cariño

Q180: con sinceridad

Q181: con locura

Q182: con atención

Q183: con tranquilidad

Q184: con discreción

Q185: con orgullo

Frases adverbiales (page 44)

Q186:

a pasos agigantados	by leaps and bounds
especialmente	specially
diariamente	day by day
ya	already
posiblemente	possibly
fielmente	faithfully
de una manera rápida y sencilla	quickly and simply
además	besides
seguramente	surely, certainly
aun así	even so
difícilmente	with difficulty, hardly
a corto plazo	in the short term
nunca	never
del todo	completely

Números ordinales (page 46)

Q187:

1	vez	la primera vez
2	calle	la segunda calle
3	mundo	el tercer mundo
4	dimensión	la cuarta dimensión
5	piso	el quinto piso
6	ejemplar	el sexto ejemplar
7	parte	la séptima parte
8	edición	la octava edición
9	informe	el noveno informe
10	ley	la décima ley

Preposiciones (page 47)

Q188:

El correo electrónico cumple ya cuarenta años. Comenzó **como** un experimento **en** 1971 **con** un mensaje enviado **por** Ray Tomlinson, un ingeniero estadounidense. **Desde** entonces se ha convertido **en** la principal herramienta **para** la globalización y ahora está presente **en** millones **de** hogares. Ni las más altas autoridades se resisten **a** utilizarlo. **Desde** el Papa de Roma **hasta** los Reyes Magos, todos han acabado enviando y recibiendo emails.

Por o para (page 47)

Q189:

1	Lo ideal es dividir las basuras caseras en tres bolsas: una **para** envases, otra **para** vidrio.
2	Si se separan los desechos, se consiguen varias cosas. **Por** un lado, que los envases puedan ser reutilizados después de ser reciclados.
3	La basura orgánica se puede reutilizar **para** hacer abono.
4	Las emisiones de productos contaminantes que fluyen **por** el aire provocan graves mutaciones en la secuencia del ADN.
5	El efecto invernadero provocado **por** el aumento del gas contaminante llevará a la Tierra a una situación atmosférica parecida a la de Venus.
6	El clima actual cambiará en los próximos años a una velocidad mayor **por** el efecto de la acción del hombre.
7	El ahorro energético es una opción necesaria **para** el futuro.
8	Durante siglos los molinos de viento han sido utilizados **para** sacar agua o moler granos.
9	En la actualidad, consumimos energías fósiles 100.000 veces más rápido que su velocidad de formación, **por** lo que se verán agotadas en un plazo más o menos largo.
10	El lince es una especie que se encuentra **por** todo el mundo.
11	La energía solar es muchas veces usada **para** encender calculadoras y otros accesorios electrónicos.
12	La bioenergía se produce al quemar biomasa, materia orgánica como madera o plantas. **Por** ejemplo, se puede comprimir paja y restos de madera.
13	Los residuos son altamente radioactivos y habrá que esperar miles de años **para** que pierdan su radioactividad.
14	Algunos linces han sido arrollados **por** coches en la zona donde viven.
15	Muchos animales ya han desaparecido **por** completo.
16	Es mejor utilizar detergentes biodegradables y sin fosfatos. Son menos perjudiciales **para** el medio ambiente.

Q190: at least

Q191: by chance

Q192: finally

Q193: of course

Q194: as far as I'm concerned

Q195: unfortunately

Q196: for that reason

Q197: just in case

Q198: therefore

Q199: please

Q200: around here

Q201: consequently

Q202: as a general rule

Q203: for my part

Q204: everywhere

Q205: as if by magic

Q206: for the first time

Q207: fortunately

Por mucho que, por poco que, por más que (page 50)

Q208:

> *Por mucho que insistas, no me vas a convencer.*
> However much you insist, you are not going to convince me.

> *Por poco que consigan, por lo menos habrán hecho algo.*
> However little they achieve, they will have at least done something.

> *Por más que gastemos, no encontraremos la solución.*
> However much we spend, we will not find the answer.

Q209:

however much you complain	por mucho que te quejes
however little I want to	por poco que quiera
however hard we work	por más que trabajemos
however much they earn	por mucho que ganen
however little we do	por poco que hagamos
however much she tries	por mucho que se esfuerce
however little it pleases you	por poco que te guste

Q210:

Por muy difícil que sea, tendremos que hacerlo.
However hard it is, we will have to do it.

Ningún país, por rico que sea puede darse el lujo de desperdiciar sus recursos humanos."
No country, however rich it may be, can afford the luxury of wasting its human resources.

Q211:

Por absurdo que parezca,	es la pura verdad.
Por muy caro que resulte al principio,	es sin duda la mejor inversión a largo plazo.
Por muy rápido que conduzcas,	no vas a llegar a tiempo.
Por inteligente que sea una persona,	siempre debe ser humilde.
Por insignificante que sea,	cada especie es una obra maestra de la biología.
Por muy simpáticos que te caigan,	no confíes en ellos.

Por (page 51)

Q212: Por mucho que ganemos, nunca estaremos satisfechos.

Q213: Por mucho que me ofrezcas, no lo venderé.

Q214: Por muy bien que hable, no nos va a persuadir / no va a persuadirnos.

Q215: Por muy fácil que parezca, hay que tener cuidado / tienes que tener cuidado.

Q216: Por mucho que quieran ir, no podrán (hacerlo).

Q217: Por poco que estudie, va a sacar buenas notas.

El Protocolo de Kioto (page 51)

Q218:

Después de años de retraso, el plan mundial **para** luchar contra el calentamiento global entró en vigor el 16 de febrero de 2005. El Protocolo de Kioto fue ratificado **por** 150 países en la ciudad japonesa donde se firmó el pacto en 1997. Este acuerdo internacional fue festejado **por** sus partidarios como un salvavidas **para** el planeta pero fue rechazado por Estados Unidos y Australia **por** suponer una limitación para la economía.

De acuerdo con el protocolo, **para** el año 2012, los países desarrollados deberán recortar sus emisiones de gases de efecto invernadero en un 5,2% **por** debajo de los niveles registrados en 1990. La Unión Europea asumió la obligación de reducir dichas emisiones en un 8% respecto al año base.

Los compromisos asumidos **por** cada Estado Miembro varían. En el caso de España, **por** ejemplo, suponen la obligación de no superar en más del 15% el nivel de emisiones de 1990. El problema **para** España radica en que, hasta la fecha, estas emisiones han aumentado en un 53%, lo que complica en gran medida el cumplimiento del protocolo de Kioto. España no tomó medidas **para** cumplir el protocolo de Kioto hasta 2004, **por** lo que está en una situación difícil.

Los países defensores del pacto dicen que el Protocolo es un primer paso **para** intentar limitar la agresión del calentamiento global y están estudiando nuevas fórmulas **para** que Estados Unidos y otros países muy contaminantes firmen el acuerdo y reduzcan sus emisiones.

Answers from page 52.

Q219:
They say that by the year 2100 temperatures will have risen between 1.4 and 5.8 degrees celsius.

El futuro perfecto (page 53)

Q220: Si seguimos así para el año 2500 **habremos destruido** el planeta.

Q221: Una manzana de origen chileno **habrá tenido** que viajar más de 10.000 kilómetros para llegar a España.

Q222: Dentro de poco los médicos **habrán encontrado** curas para enfermedades como el SIDA y el cáncer.

Q223: Sin duda el Gobierno **habrá tomado** medidas preventivas para evitar otra crisis financiera.

Q224: Antes de que finalice este año todos los Estados Miembros **habrán firmado** el contrato.

Q225: ¿Cuánta basura **habréis generado** esta semana?

Q226: Los científicos que estudian el calentamiento global aseguran que para el año 2100 el continente blanco **se habrá derretido** casi en su totalidad.

Q227:

1. Si seguimos así **para el año 2500** habremos destruido el planeta.
2. Una manzana de origen chileno habrá tenido que viajar más de 10.000 kilómetros para llegar a España.
3. **Dentro de poco** los médicos habrán encontrado curas para enfermedades como el SIDA y el cáncer.
4. Sin duda el Gobierno habrá tomado medidas preventivas para evitar otra crisis financiera.
5. **Antes de que finalice este año** todos los Estados Miembros habrán firmado el contrato.

6. ¿Cuánta basura habréis generado esta semana?

7. Los científicos que estudian el calentamiento global aseguran que **para el año 2100** el continente blanco se habrá derretido casi en su totalidad.

8. Alertan que **en menos de cien años** Groenlandia y la Antártida habrán desaparecido de la faz de la Tierra.

9. Más vale prevenir que curar. ¡No sé cuántas veces habré dicho eso!

10. **El día en que** consigamos reducir nuestro gasto energético, sin duda habremos hecho grandes progresos.

Futuro (page 53)

Q228: If we carry on like this, by the year 2500 we will have destroyed the planet.

Q229: An apple from Chile will have had to travel more than 10,000 kilometres to get to Spain.

Q230: Before long doctors will have found cures for illnesses such as AIDS and cancer.

Q231: No doubt the government will have taken preventative measures to avoid another financial crisis.

Q232: Before this year is out all the member states will have signed the agreement.

Q233: How much rubbish will you have generated this week?

Q234: Scientists who study global warming assure us that by the year 2100 the white continent will have melted away almost completely.

Q235: They warn that Greenland and the Antarctic will have disappeared off the face of the earth in less than a hundred years.

Q236: Prevention is better than cure. I don't know how many times I must have said that!

Q237: The day that we manage to reduce our energy consumption, no doubt we will have made great progress.

Los ejemplos de discurso indirecto (page 55)

Q238: La investigación **señaló** que los robots **serían** tan necesarios como los teléfonos móviles.

Q239: Los expertos **dijeron** que los robots **tendrían** la capacidad de ver, actuar y hablar.

Q240: Antonio López Peláez **indicó** que implantes inteligentes en el cerebro **mejorarían** nuestro razonamiento.

Q241: El profesor de Sociología **mantuvo** que la aparición de soldados-robot **significaría** menos muertes.

Orden de las palabras y la inversión (page 55)

Q242: Hace sesenta años *comenzaron a comercializarse* **los primeros modelos de ordenadores**.

Q243: En el perfil de los usuarios de la Red *destacan* **los hombres y jóvenes** mientras que entre los no usuarios *sobresalen* **las mujeres**.

Q244: Por lugar de acceso, *son* mayoría **quienes usan Internet desde el hogar**.

Q245: El estudio también habla de las repercusiones que *implicará* **la integración de los robots en la sociedad**.

Q246: Concienciar a los mayores de las ventajas que *puede ofrecerles* **la tecnología** puede ser un primer paso.

Q247: Durante el verano *se han paralizado* **decenas de edificios de viviendas en construcción** en la provincia. Es un ejemplo más del grave deterioro que *sufre* **el mercado inmobiliario**.

Traducción (page 56)

Q248: Sixty years ago the first computers began to come on the market.

Q249: Among the typical users of the Net we find mostly men and young people whereas women appear most frequently among non-users.

Q250: As regards place of access, those who use the Internet from home are in the majority.

Q251: The study also talks of the repercussions which will be brought about by the integration of robots into society.

Q252: A first step could be to raise awareness among older people of the advantages that technology can offer them.

Q253: During the summer, building work in dozens of housing developments in the province has come to a standstill. This is just another example of the serious downturn that the housing market is suffering.

Sujetos invertidas (page 57)

Q254: Inverted subjects are bold.

1. Muchas veces surge **la necesidad** de tomar una decisión muy difícil.
2. El 24 de marzo de 2007 entró en vigor en España **la Ley de Igualdad**.
3. Juan Soriano y Javier Sestián son los dos primeros padres que se acogieron a las dos semanas que les concede **el permiso de paternidad**.
4. No hay que olvidar los malos tratos que sufren **algunas mujeres** a manos de sus parejas.

5. Nos dicen **los expertos** que el envejecimiento de la población tendrá impactos sociales, económicos y sanitarios.

6. Se habla del envejecimiento de la población como uno de los grandes retos que tendrá que afrontar **Europa** en los próximos años.

Traduccións

1. Often the need arises to take a very difficult decision.

2. On the 24 March 2007 the Law of Equality came into force in Spain.

3. Juan Soriano and Javier Sestián were the first two fathers to take advantage of the two weeks which paternity leave allows them.

4. We must not forget the abuse that some women suffer at the hands of their partners.

5. The experts tell us that the ageing population will have social, financial and health implications.

6. People talk of the ageing population as one of the great challenges which Europe will have to face in the next few years.

2 Grammar: Learning

El subjuntivo (page 60)

Q1:

No es verdad que	It is not true that
No digo que	I'm not saying that
No pienso que	I don't think that
No estoy convencido de que	I'm not convinced that
No significa que	It doesn't mean that
No implica que	It doesn't imply that
No es que	It's not that
No parece que	It doesn't seem that
Dudo que	I doubt that
Niego que	I deny that

Subjuntivo o indicativo (page 60)

Q2: b) sea

Q3: b) deba

Q4: a) ha sido

Q5: a) existe

Q6: b) haya

Q7: a) enriquece

Q8: a) trae

Q9: b) quiten

Q10: a) han aprendido

Q11: a) son

Q12: b) deban

Q13: a) tienen

El uso del subjuntivo después de verbos de emoción (page 62)

Q14:

Me enfada que	It makes me angry that
Me irrita que	I find it irritating that
Me entristece que	I find it sad that
Me molesta que	It annoys me that
Me sorprende que	It does surprise me that
Me alegro de que	I'm glad that
Lamento que	I regret that
Siento que	I'm sorry that
Me temo que	I fear that
No me extraña que	It doesn't surprise me that
Tengo miedo de que	I'm afraid that
Es raro que	It's strange that
Es una vergüenza que	it's a disgrace that
Es increíble que	it's unbelievable that
Es una lástima que	it is a pity that

Practica con subjuntivo y verbos de emoción (page 63)

Q15:

1	Es increíble que estos jóvenes **realicen** viajes suicidas para buscar un futuro mejor en Europa.
2	Es una lástima que tantos cayucos llenos de inmigrantes **se hundan** antes de llegar a Canarias.
3	Me sorprende que aún **haya** gente que piensa que la cultura española se ve amenazada por la llegada de inmigrantes.
4	Me alegro de que los hijos de inmigrantes nacidos en España **estén** cada vez más integrados.
5	En nuestra organización lamentamos que no **podamos** hacer más por los niños inmigrantes.
6	No me extraña que a los extranjeros les **cueste** aprender el uso del subjuntivo, ¡es bastante complicado!

Practica con subjuntivo con todos los tiempos (page 63)

Q16:

1	Fue una lástima que Naim no **hiciera / hiciese** caso a las advertencias de su padre. hacer
2	Naim tuvo suerte de que la mujer del barco **quisiera / quisiese** pagarle el billete a Barcelona.
3	Naim no se despidió de su padre porque tenía miedo de que le **impidiera / impidiese** irse a España.
4	Con las malas condiciones del mar, no nos parecía posible que todos los inmigrantes que venían en la patera hubieran **podido / hubiesen podido** llegar vivos a la costa.
5	Si Naim **hubiera sabido / hubiese sabido** lo que le esperaba en España, no se habría ido de su país.
6	Muchos chicos como Naim no creen que las dificultades de las que hablan sus padres **sean** verdad.

El uso del subjuntivo después de palabras como cuando (page 64)

Q17:

1	Cuando **lleguen** a Europa todos esperan encontrar un empleo digno.
2	Tengo que hacer la reserva antes de que se me **olvide**.
3	En cuanto **consigan** encontrar un trabajo cotizarán a la seguridad social.
4	Mientras los jóvenes **estén** en el centro de acogida, se les garantiza el acceso a la educación.
5	Una vez que se les **conceda** la tarjeta comunitaria podrán regularizar su situación.
6	Seguirá habiendo problemas hasta que todos **aprendamos** a ser más tolerantes.
7	Tan pronto como la Guardia Civil **localice** la patera, los inmigrantes serán trasladados a Puerto América.
8	Haremos una investigación después de que las autoridades **presenten** su informe.

Indicativo o subjuntivo (page 65)

Q18:

1	Mientras **estábamos** de vacaciones en Tenerife vimos numerosas embarcaciones llenas de personas enfermas y deshidratadas que habían llegado de África occidental.
2	Hasta que te **defiendas** en español tendrás dificultades para integrarte.
3	Cuando **llegamos** a Nouadhibou (Mauritania) nuestro contacto en la red mafiosa nos llevó a un apartamento.
4	Una vez que **controlemos** el número de inmigrantes que llega a Europa, será más fácil que todos tengan un trabajo digno.
5	Tan pronto como Europa **decida** invertir recursos en los países africanos, la gente no se verá obligada a emigrar.
6	No cambiará nada hasta que **empiecen** los esfuerzos para una reforma.
7	En cuanto **subimos** al barco, el capitán apagó las luces.

Answers from page 65.

Q19: I haven't been able to give up the habit completely but yes I have reduced the number of cigarettes I smoke.

Answers from page 65.

Q20: The following translation sounds much better.
I haven't been able to give up the habit completely but I **have** certainly reduced the number of cigarettes I smoke.

Traducción: Sí utilizado para el énfasis (page 66)

Q21: My mother doesn't smoke but my father does.

Q22: There will maybe not be many people there but the president is sure to come.

Q23: This is not a law prohibiting cigarettes but it will certainly make smoking more difficult.

Q24: Climate change cannot be stopped now, but it is definitely possible to have an influence over its consequences.

Q25: I'm not a Catholic but I **do** believe in God.

Q26: We've noticed that we have more customers, not an overwhelming number, but we **have** noticed an increase in passengers.

Q27: She is never afraid of anything, but this time she certainly **did** cry.

Q28: Unfortunately we will never be able to stop accidents happening completely but we **can** make driving safer.

Los modismos con la palabra sí (page 66)

Q29:

¡claro que sí!	of course!
¡a que sí!	I bet it is!
un día sí y otro no	every other day
¡eso sí que es!	yes, that's it!
¡claro que no!	of course not!
¡eso sí que no!	not on your life!

Ejercicio: Discurso directo e indirecto (page 69)

Q30: mañana

Q31: ayer

Q32: la semana que viene

Q33: esta mañana

Q34: el año pasado

Q35: anoche

Q36: hace dos días

Q37: aquí

Q38: este

Q39: al día siguiente

Q40: el día antes

Q41: la semana próxima

Q42: aquella mañana

Q43: el año anterior

Q44: la noche anterior

Q45: dos días antes

Q46: allí

Q47: ese

Q48: aquel

Ejercicio: Cambiar de discurso directo a indirecto (page 70)

Q49: Victoria dijo que fumaba desde que era adolescente y que ahora mismo estaba fatal.

Q50: José Miguel dijo que seguía siendo imposible salir de copas por la noche sin volver a casa apestando a tabaco.

Q51: Rumí afirmó que era la primera vez que se notaba aquel descenso y que siempre había sostenido que el factor de atracción más importante era la posibilidad de trabajar.

Q52: Finalmente la Ministra anunció que antes de mayo se abriría un nuevo centro de acogida de 120 plazas en Vicálvaro.

Q53: Mahjoub nos dijo que allí había conocido a la mujer de su vida con quien había tenido un hijo y que juntos intentaban construir un futuro mejor.

Q54: Jorge nos explicó que pasaría el resto de su vida aquí a menos que sus hijos le dieran una sorpresa al crecer.

Q55: Ángel añadió que con lo que había ganado esos años había podido comprar un terreno que dentro de poco comenzaría a edificar como hogar para los suyos.

Q56: Neil nos aseguró que lo que más le gustaba de España es/era el carácter abierto y amable de la gente y que nunca había tenido problemas por su condición de inmigrante.

Ejercicio: Cambiar de activa a pasiva (page 72)

Q57: Passive: El cuadro fue pintado por Pablo Picasso durante la Guerra Civil.
Avoiding the Passive: El cuadro lo pintó Pablo Picasso durante la Guerra Civil.

Q58: Passive: El artículo será publicado por El País la semana que viene.
Avoiding the Passive: El artículo lo publicará El País la semana que viene.

Q59: Passive: Nuestra casa fue construida por mis abuelos hace 50 años.
Avoiding the Passive: Nuestra casa la construyeron mis abuelos hace 50 años.

Q60: Passive: La exposición en El Prado ha sido inaugurada por los Reyes.
Avoiding the Passive: La exposición en El Prado la han inaugurado los Reyes.

Q61: Passive: Las nuevas leyes fueron aprobadas por el Gobierno ayer.
Avoiding the Passive: Las nuevas leyes las aprobó el Gobierno ayer.

Q62: Passive: Los manifestantes que causaron incidentes fueron detenidos por agentes de la policía.
Avoiding the Passive: A los manifestantes que causaron incidentes los detuvieron agentes de la policía.
(Watch this one! Since "**manifestantes**" are people you have to start with personal **a**.)

Traducción (page 73)

Q63: The term *mileuristas* was coined by Caroline in a letter which she wrote to El País.

Q64: The anti- smoking law was supported by most of the political parties.

Q65: The immigrants who arrive in dinghies are given refuge by the Red Cross.

Q66: The points system driving licence was introduced over a year ago.

Q67: Education for Citizenship is rejected by many people.

Ejercicio: Pedir v preguntar (page 73)

Q68: b) pidieron

Q69: b) pidió

Q70: a) preguntamos

Q71: b) pedir

Q72: a) preguntes

Q73: a) preguntar

Q74: b) Pídele

Q75: b) piden

Q76: b) pregunté *then* pedí

Llevar y presente participio (page 75)

Q77: La inmensa mayoría de los inmigrantes procedentes de Marruecos llevan años cotizando a la seguridad social.

Q78: La pareja lleva un año compartiendo piso con otras familias de Rumania.

Q79: Llevábamos más de veinticuatro horas viajando, cuando por fin llegamos a la playa de Los Cristianos.

Q80: La familia ecuatoriana lleva un mes buscando alojamiento en el barrio.

Q81: Elena tenía contrato y llevaba seis meses empadronada, por lo que solicitó el permiso de residencia.

Q82: Mahjoub lleva bastante tiempo instalado felizmente con su pareja española en Pueblonuevo de Miramontes.

Q83: Pai Lan llevaba más de cinco años sirviendo en el restaurante de su tío, cuando se casó con un compatriota y consiguieron abrir juntos el suyo propio.

Q84: Algunos extranjeros llevan varios años aprendiendo el español pero todavía les resulta difícil mezclarse e integrarse.

3 Grammar: Employability

Practica con el subjuntivo perfecto (page 79)

Q1:

1	Siento que **hayas tomado** esa decisión.	I'm sorry that you have made that decision.
2	Es posible que **se haya ido** de vacaciones.	It is possible that he has gone away on holiday.
3	Es una vergüenza que **hayan gastado** todo el dinero.	It is a disgrace that they have spent all the money.
4	Es increíble que **hayamos logrado** tanto.	It is incredible that we have achieved so much.
5	Quizás se **haya equivocado** de tren.	Perhaps he has got on the wrong train.

Traducción de *lo que sea* expresiones (page 80)

Q2: Hagas lo que hagas

Q3: Decidas lo que decidas

Q4: Estudies lo que estudies

Q5: Pagues lo que pagues

Q6: Lleves lo que lleves

Q7: Cocines lo que cocines

Q8: Comas lo que comas

Q9: Veas lo que veas

Answers from page 80.

Q10:

Haga lo que haga	Hagamos lo que hagamos
Hagas lo que hagas	Hagáis lo que hagáis
Haga lo que haga	Hagan lo que hagan

Lo que sea, quien sea, donde sea ... (page 81)

Q11:

Whatever	lo que
Whoever	quien
Wherever	donde
Whenever	cuando
Whichever	cual
However	como

Practica con lo que etc. (page 81)

Q12:

1. Gane **quien** gane las elecciones, poco va a cambiar.
2. Todas las personas tienen los mismos derechos, vengan de **donde** vengan.
3. Toda la documentación oficial se traduce a todos los idiomas de la UE, sea **cual** sea el idioma de origen.
4. Los beneficios, vengan **cuando** vengan, serán modestos.
5. Digáis **lo que** digáis, España ha salido ganando con su entrada en la UE.
6. Lo mires **como** lo mires, ha sido un paso positivo para todos.

Practica de la traducción (page 81)

Q13: Little will change, no matter who / whoever wins the election.

Q14: Everyone has the same rights, wherever / no matter where they come from.

Q15: All official documentation is translated into every EU language, whatever / no matter what its original language is.

Q16: The benefits will be modest, whenever / no matter when they come.

Q17: No matter what you say / Whatever you say / Say what you like, Spain has come out a winner by joining the EU.

Q18: However/ No matter/ Whichever way how you look at it, it has been a positive step for everyone.

Answers from page 82.

Q19:

however you do it	comoquiera que lo **hagas** (hacer)
whatever the reason may be	cualquiera que **sea** la razón (ser)
whenever he arrives	cuandoquiera que **llegue** (llegar)
wherever you may be	dondequiera que **estés** (estar)
whoever wins	quienquiera que **gane** (ganar)

Practica con -quiera (page 82)

Q20:

1. **Comoquiera** que sea, la UE indudablemente ha dado libertad de movimiento a todos sus ciudadanos.

2. **Cualquiera** que sea la combinación de idiomas comunitarios, tendrá su traducción correspondiente en el Parlamento.

3. Cualquier estudiante europeo puede pedir una beca de intercambio Erasmus **cuandoquiera** que lo desee

4. Si eres comunitario y viajas dentro de la UE, tienes derecho a asistencia médica **dondequiera** que estés.

5. **Quienquiera** que necesite la protección de la ley la obtendrá, porque la ley trata por igual a todos los ciudadanos.

Expresiones que requieren el subjuntivo (page 83)

Q21:

para que	so that, in order that
a menos que	unless
con tal (de) que	as long as, provided that
a fin de que	so that, in order that
en caso de que	in the event that, in case
a no ser que	unless
salvo que	unless
a condición de que	on condition that
sin que	without
siempre que	as long as, provided that

Practica con expresiones que requieren el subjuntivo (page 84)

Q22:

1	Ningún país puede incorporarse a la UE a menos que los derechos políticos y humanos **estén** allí garantizados. [estar]
2	Para que un país **pudiera/ pudiese** optar al euro, su deuda pública debía ser inferior al 60% del PIB. [poder]
3	Una de las grandes ventajas de la UE es que ofrece absoluta movilidad dentro de sus países a condición de que uno **pertenezca** a la Comunidad. [pertenecer]
4	Aprobaron la ley sin que nosotros lo **quisiéramos / quisiésemos**. [querer]
5	Siempre que **sea** posible, voy a trabajar durante un año o dos en otro país para ganar experiencia y aprender otro idioma. [ser]
6	A no ser que cada gobierno **ofrezca** más información en los medios sobre lo que se decide en el Parlamento Europeo, muchos ciudadanos seguirán ignorando la importancia de esta institución. [ofrecer]
7	Salvo que tú ya **hayas disfrutado** de una beca Erasmus, tienes derecho a solicitarla para cualquier país de la UE que tenga programado el intercambio con tu universidad. [disfrutar]
8	Cuando se pasó de la peseta al euro, los precios se redondearon siempre hacia arriba en caso de que la cifra obtenida en euros no **fuera/fuese** exacta. [ser]
9	El fondo común europeo ofrecerá ayudas económicas a los nuevos miembros con tal de que **se pongan** al nivel de los demás en el menor tiempo posible. [ponerse]
10	A fin de que ningún ciudadano europeo **se sienta** discriminado, toda la documentación oficial se traducirá a todos los idiomas comunitarios. [sentirse]

Answers from page 84.

Q23: In the *first example* the subjects are the same for both verbs.
David and Anna went to Madrid
David and Anna learned Spanish
In the *second example* the subject of the first verb is different from the subject of the second verb.
David and Anna went to Madrid
Their children learned Spanish

Practica con para + infinitive o para que + subjuntivo (page 84)

Q24: a) controlar

Q25: a) incorporarse

Q26: b) gocemos

Q27: a) modernizar

Q28: b) domines

Q29: a) satisfacer

Q30: b) recibieran

Q31: a) ser

Q32: b) tengas

Q33: b) se diera

Q34: a) conseguir

Practica con aunque (page 87)

Q35:

1	Aunque **se adoptara** el esperanto, cada país europeo conservaría su propio idioma.
2	Aunque el Parlamento Europeo **está** en suelo francés, representa a toda la UE.
3	Aunque **haya** mucha abstención, las elecciones europeas siguen siendo importantes.
4	Aunque no **hay** fronteras entre los países de la UE, se mantiene un alto grado de seguridad.
5	Aunque a algunas personas no les **parezca** bien, en el Parlamento Europeo el inglés es el idioma más utilizado.
6	Todos los ciudadanos de la UE pueden trabajar en España aunque no **sean** españoles.

Subjuntivo después de verbos de opinión usados en sentido negativo (page 87)

Q36:

Creo que se redondeará por exceso.	No creo que se redondee por exceso.
Creo que el cambio de moneda puede originar un riesgo de inflación.	No creo que el cambio de moneda pueda originar un riesgo de inflación.
Creo que el euro perjudicará a los trabajadores del sector bancario vinculados al cambio de divisas.	No creo que el euro perjudique a los trabajadores del sector bancario vinculados al cambio de divisas.
La aparición en las etiquetas de los precios en euros inducirá a pensar que el coste del producto es menor.	No creo que la aparición en las etiquetas de los precios en euros induzca a pensar que el coste del producto sea menor.

Remember you can use "no me parece que" or "no pienso que" instead of "no creo que".